365 HISTÓRIAS BÍBLICAS

Coordenação e diagramação: Jarbas C. Cerino
Autora e revisora: Beatriz Hüne

1ª Edição

da letra

Cotia 2018

PÉ DA LETRA EDITORA E DISTRIBUIDORA

A criação de Deus: primeiro e segundo dia

Gênesis 1: 1 a 8

Deus fez o mundo em apenas seis dias. No inicio a terra era sem forma e vazia e nada nela exista. Então Deus disse: "Haja luz" e houve luz, Deus viu que a luz era boa, e separou a luz da escuridão e chamou a luz de dia e a escuridão de noite, e esse foi o primeiro dia. Já no segundo dia, Deus formou o céu sobre a terra, e deu ao nosso planeta o ar que respiramos.

JANEIRO 1

A criação de Deus: terceiro e quarto dia

Gênesis 1: 9 a 18

No terceiro dia Deus fez os oceanos e a terra seca, Deus viu que o que tinha feito era bom, e ficou muito feliz, depois disse: "Cubra-se a terra de plantas que deem sementes, árvores e frutos.". Já no quarto dia Deus criou o sol para iluminar nossos dias e esquentar a terra, e para a noite fez a lua e as estrelas que deixam o céu ainda mais bonito e iluminado.

freepik.com

A criação de Deus:
quinto e sexto dia

Gênesis 1: 19 a 26

No quinto dia Deus disse: "Encham-se as águas de seres vivos e voem as aves sobre a terra." Deus havia criado todos os peixes que nadam no mar e todos os pássaros que voam, de todos os tipos e tamanhos. No sexto dia Deus disse: "Produza a terra seres vivos de acordo com suas espécies, rebanhos domésticos, animais selvagens e todos os demais seres vivos", Deus havia criado os animais que moram nas florestas, os animais de estimação e também todos os outros bichos da natureza.

freepik.com

Deus cria o homem e a mulher

Gênesis 1: 27 a 31

Deus estava muito feliz com o que tinha feito, mas sabia que ainda faltava alguma coisa, então criou o homem do pó da terra e soprou em seu nariz fôlego de vida, a sua imagem e semelhança o formou, e deu seu nome de Adão. Deus também criou o jardim do Éden e colocou Adão para cuidar e cultivar daquele jardim. Mas Deus viu que ainda faltava alguém, uma companheira para ele, Deus então o fez cair em sono profundo e de suas costelas fez a mulher e lhe deu o nome de Eva. Deus os abençoou, e lhes disse: "Sejam férteis e multipliquem-se!"

JANEIRO 4

shutterstock.com/Tomacco

O sétimo dia

Gênesis 2: 1 a 3

"Assim foram concluídos os céus e a terra, e tudo o que neles há. No sétimo dia Deus já havia concluído a sua obra, e nesse dia descansou. Abençoou o sétimo dia e o santificou, porque nele descansou de toda a obra que realizou em sua criação".

Adão e Eva pecam contra Deus

Gênesis 3: 1 a 24

Adão e Eva eram muito amigos de Deus e estavam felizes morando e cuidando do jardim do Éden, porém Deus disse a eles: "Comam livremente os frutos de qualquer árvore do jardim, mas não comam da árvore do conhecimento do bem e do mal.". Mas um dia chegou uma serpente e disse a eles que aquela árvore tinha o fruto mais gostoso, e se comessem seriam como Deus.

Eva comeu e deu para Adão que também comeu, e quando Deus chegou ficou muito triste pois sabia que tinham o desobedecido, sendo assim, os dois tiveram que deixar o jardim do Éden e procurar outro lugar para morar.

shutterstock.com/Tomacco

Caim e Abel

Gênesis 4: 1 a 16

Adão e Eva tiveram dois filhos um chamado Caim e outro chamado Abel. Caim era agricultor e Abel era pastor de ovelhas. Um dia Caim fez uma oferta ao Senhor com frutos da terra, já Abel levou o primeiro carneiro que havia nascido do seu rebanho e deu a Deus como oferta, e Deus ficou muito feliz com a oferta de Abel, mas não aceitou a oferta de Caim. Ele ficou muito bravo e cheio de inveja, então chamou seu irmão para o campo, e lá Caim matou seu irmão Abel. Depois disso, Deus ficou muito triste e Caim teve que ir embora de lá e nunca mais pôde voltar.

A maldade nos corações dos homens

Gênesis 6: 1 a 8

Os homens começaram a formar suas famílias e começaram a povoar a terra, mas o Senhor viu que a maldade havia aumentado no coração dos homens e ficou muito triste. Ele quis fazer com que todos os homens desaparecessem, mas lembrou-se de Noé que tinha um coração agradável a ele.

shutterstock.com/Dawn Hudson

Noé

Gênesis 6: 9 a 22

Noé era um homem justo e bom entre o povo da sua época, ele era obediente e confiava em Deus. Mas Deus estava muito triste com toda a humanidade, pois tinham o coração mal e não amavam a Deus. Certo dia, o Senhor mandou Noé construir uma arca, nela ele deveria levar toda sua família e um casal de animais de cada espécie. Deus o mandou construir a arca pois mandaria uma chuva muito forte que inundaria a terra. Então Noé obedeceu e fez tudo o que Deus havia lhe mandado.

A chuva

Gênesis 8: 1 a 12

Depois de construir a arca, Noé colocou toda sua família e um casal de animais de cada espécie dentro dela, assim como Deus havia dito. E então começou a chover, e choveu durante quarenta dias e quarenta noites. Depois que parou de chover, Noé soltou um corvo que ficou dando voltas, depois soltou uma pomba para ver se as águas tinham diminuído, mas a pomba não encontrou lugar para pousar e voltou, então esperou mais sete dias e soltou a pomba de novo e ao entardecer a pomba lhe trouxe um folha nova de oliveira, isso queria dizer que as águas haviam diminuído. Noé esperou mais sete dias e soltou a pomba novamente, essa não voltou mais, Noé agora sabia que poderia descer de sua arca com sua família e os animais.

shutterstock.com/Lorelyn Medina

JANEIRO **10**

A aliança de Deus com Noé

Gênesis 9: 1 a 17

Depois que Noé desceu da arca Deus disse a ele: "Vou fazer um aliança com você e seus descendentes, e com todo o ser vivo que está com vocês, nunca haverá um dilúvio para destruir a terra novamente. O meu arco coloquei nas nuvens e se chamará arco-íris e toda vez que ele aparecer, me lembrarei da aliança que fiz com vocês."

A torre de Babel

Gênesis 11: 1 a 8

No mundo todo havia apenas uma língua, um só modo de falar. Então alguns homens se juntaram e resolveram construir uma torre tão alta que alcançaria os céus, assim seus nomes ficariam famosos por toda a terra. Porém Deus viu que o que faziam não era bom, por isso, fez com que eles começassem a falar línguas diferentes para que não entendessem mais uns aos outros. Assim, eles pararam de construir a torre e cada um foi para um lugar da terra e a aquela cidade ficou conhecida como Babel.

O chamado de Abrão

Gênesis 12: 1 a 9

Existia um homem que se chamava Abrão e o Senhor disse a ele: "Saia da sua terra, do meio dos seus parentes e da casa de seu pai, e vá para a terra que eu lhe mostrarei. Farei de você um grande povo, e o abençoarei." e foi o que Abrão fez, levou consigo sua mulher Sarai e seu sobrinho Ló e partiram para a terra de Canaã.

JANEIRO **13**

Abrão no Egito

Gênesis 12: 10 a 20

Lá em Canaã a comida era pouca para todos, então foram para o Egito, ao chegarem lá, Abrão disse a sua esposa Sarai que ela era muito bonita e se alguém perguntasse, era para dizer que era sua irmã, pois ficou com medo que pudessem machucá-lo. Quando faraó a viu, logo achou que era mulher de Abrão, mas Sarai mentiu como ele havia pedido e disse que era sua irmã, então faraó resolveu levá-la ao palácio, pois a achou muito bela. Enquanto isso, Abrão foi tratado muito bem, recebeu ovelhas, bois e jumentos. Porém o Senhor puniu faraó com várias doenças por causa de Sarai, então faraó mandou chamar Abrão e perguntou: "O que fez comigo? Por que não disse que era sua esposa? Vá embora e leve tudo o que é seu!" Abrão levou tudo consigo e partiu.

Abrão e Ló

Gênesis 13: 1 a 13 e 14: 11 a 16

Com o passar dos anos Abrão foi enriquecendo tanto, que mal tinha lugar para ele e o sobrinho Ló cuidarem de seus rebanhos, por causa disso, começaram algumas brigas, mas logo Abrão decidiu dividir as terras, evitando assim uma briga maior entre ele e seu sobrinho. Ló escolheu onde ele queria ficar e a parte que sobrou ficou para Abrão. Porém o lugar que Ló escolheu para morar houve uma guerra e ele foi levado como refém, quando Abrão descobriu mandou trezentos e dezoito homens para resgatá-lo, e assim conseguiu recuperar seu sobrinho e todos os seus bens.

freepik.com

JANEIRO 15

freepik.com

A aliança de Deus com Abrão

Gênesis 15: 1 a 6

Abrão muito triste pois já era velho e ainda não tinha nenhum filho disse ao Senhor: "Ó meu amado Senhor, continuo sem filhos, sem herdeiros." e Deus respondeu a ele: "Um filho seu será gerado por você mesmo e será seu herdeiro. Olhe para o céu Abrão, e conte as estrelas, se é que pode contá-las. Assim será sua descendência." E Abrão ficou muito feliz porque confiava na palavra do Senhor.

Abrão e Sarai ganham novos nomes

Gênesis 17: 1 a 15

Quando Abrão estava com noventa e nove anos de idade, o Senhor apareceu e lhe disse: "Eu sou o Deus todo poderoso, e como te disse farei uma aliança entre mim e você e multiplicarei sua descendência, por isso a partir de hoje seu nome passa a ser Abraão, porque eu te farei pai de muitas nações e sua esposa Sarai, passará a se chamar Sara, eu o abençoarei e também por meio dela darei a você um filho."

Isaque, filho de Abraão e Sara

Gênesis 21: 1 a 7

Quando Abraão fez cem anos, sua esposa Sara ficou grávida assim como o Senhor havia prometido, e o nome escolhido foi Isaque. Sara muito feliz disse: "Deus me encheu de riso e todos que souberem disso, vão rir comigo, porque depois de velhos, Deus nos deu um filho para criar e amar."

shutterstock.com/By Dawn Hudson

Deus prova Abraão

Gênesis 22: 1 a 13

Passado algum tempo, Deus colocou Abraão à prova dizendo-lhe: "Tome seu único filho Isaque, a quem você ama e vá para um monte, e ofereça ele em sacrifício." Abraão ficou muito triste porque não queria matar seu

shutterstock.com/askib

filho, mas mesmo assim obedeceu, porque confiava no Senhor. Ao chegar lá, Isaque perguntou onde estava o cordeiro para o sacrifício, e Abraão respondeu a ele que Deus iria prover. No momento em que Abraão estava pronto para sacrificar seu filho, ouviu a voz de um anjo dizendo: "Abraão, Abraão, não toque no rapaz, agora sei que você teme a Deus." Ao erguer os olhos, Abraão viu um cordeiro que serviria para o sacrifício, ficou muito feliz e agradeceu a Deus junto ao seu filho querido Isaque.

Deus prepara uma esposa para Isaque

Gênesis 24: 1 a 49

Abraão já era bem velhinho, quando pediu para seu servo não deixar seu filho casar-se com uma moça de Canaã, pediu a ele que escolhesse uma moça de sua terra. E foi o que servo fez, partiu para a cidade de Naor, com seus camelos e orou ao Senhor pedindo que aquela moça que desse de beber a ele e aos seus camelos, essa seria a escolhida. Mas antes que ele terminasse de orar, Rebeca, uma jovem muito bonita ofereceu água a ele e seus camelos. Quando o servo contou a ela toda a história, ela ficou muito feliz e assim se tornou esposa de Isaque.

Esaú e Jacó

Gênesis 25: 19 a 34

Isaque casou-se com Rebeca, ela não podia ter filhos, mas depois de orar muito, Deus ouviu seu pedido e ela ficou grávida de gêmeos, e então nasceu primeiro Esaú e na sequência Jacó. Isaque amava muito Esaú, porque ele gostava de caçar assim como ele, já Rebeca preferia mais Jacó que era mais sossegado e ficava mais tempo em casa com ela. Um dia, Esaú chegou com fome em casa, bem no momento em que Jacó fazia um ensopado.

Esaú disse a ele: "Me dê um pouco de comer por favor, estou faminto!" E Jacó respondeu: "Venda-me primeiro o seu direito de filho mais velho." Como Esaú estava com muita fome, ele deu seus direitos a seu irmão e comeu todo o ensopado.

shutterstock.com/npine

Isaque abençoa Jacó

Gênesis 27: 1 a 29

Isaque se tornou um homem de muito poder em sua terra, e a promessa feita a Abraão por Deus continuava sobre sua vida, de que sua descendência seria como as estrelas do céu. Certo dia, Isaque já muito velhinho, quase sem enxergar

mais, chamou seu filho mais velho Esaú para poder abençoá-lo, mas antes ele disse: "Vá ao campo caçar algo, prepare uma comida saborosa e traga para mim, assim te abençoarei antes de morrer.". E foi isso o que Esaú fez, porém sua mãe Rebeca ouviu tudo, e chamou Jacó, ela explicou a ele o que seu pai tinha pedido, e mandou ele ir ao rebanho pegar dois cabritos e depois ir até seu pai receber a benção em lugar de seu irmão. Esaú era muito peludo, por isso ela colocou as roupas de Esaú em Jacó e colocou sobre seus braços as peles do cabrito. Ao chegar a seu pai Isaque, Jacó disse que era Esaú, seu pai apesar de não ver, achou estranho, mas seus braços eram parecidos, o cheiro da roupa era de Esaú e por isso abençoou Jacó pensando que era seu filho mais velho Esaú.

A fuga de Jacó

Gênesis 27: 41 a 46 e 28: 10 ao 22

Depois de Jacó ter se passado por seu irmão, Esaú ficou tão bravo que quis matá-lo. Quando sua mãe Rebeca ficou sabendo disso, correu a Jacó e disse a ele: "Fuja para a casa de meu irmão Labão". E foi o que Jacó fez, no meio da viagem, parou para adormecer e sonhou com uma escada em que anjos subiam e desciam, e ao lado estava o Senhor que dizia: "Eu sou o Senhor, o Deus de seu pai Abraão e o Deus de Isaque, darei a você e seus descendentes a terra que está deitado, e eles serão como pó que se espalham sobre a terra." ao acordar, Jacó mudou o nome daquele lugar de Luz, para Betel.

Jacó encontra-se com Raquel

Gênesis 29: 1 a 30

Jacó seguiu sua viagem e ao chegar nas terras de Labão conheceu a filha dele, Raquel, logo eles se apaixonaram. Seu pai Labão ficou muito feliz em conhecer seu sobrinho, e disse a ele: "Já que agora você vai ficar conosco e trabalhar em nossas terras, me diga o salário que quer receber." E Jacó como gostava muito de Raquel respondeu: "Trabalharei sete anos em troca de Raquel, sua filha mais nova." Labão concordou, e passados sete anos, Labão deu uma festa para celebrar o casamento dos dois, mas ao chegar a noite Labão deu sua filha mais velha Lia para ficar com ele. Labão explicou a Jacó que não era costume casar a filha mais nova antes da mais velha, então Jacó para se casar com Raquel, trabalhou mais sete anos.

O encontro dos irmãos Esaú e Jacó

Gênesis 32: 1 a 32 e 33: 1 a 4

Jacó tinha se tornando um homem muito rico trabalhando para seu tio Labão, então Deus mandou ele voltar para a terra de seu pai e sua mãe. Jacó mandou um mensageiro avisar a Esaú sobre sua volta, mas ao voltar ele lhe disse que Esaú estava vindo ao encontro dele com quatrocentos homens. Jacó ficou com muito medo e orou a Deus: "Livra-me das mãos do meu irmão Esaú". Naquela noite, Jacó estava sozinho e então veio um homem lutar com ele até o amanhecer, esse homem era um anjo, e Jacó não o deixou ir até que o abençoasse, ele o abençoou e seu nome passou a ser Israel e não mais Jacó. E quando Israel encontrou seu irmão, ao invés de brigarem ficaram muito felizes em se ver, e eles choraram de alegria.

Os filhos de Israel

Gênesis 37: 1 a 10

shutterstock.com/Jana Guothova

Israel já tinha onze filhos, mas nenhum deles era de Raquel, ela não podia engravidar e por isso ficava muito triste. Um dia Deus ouviu sua oração e lhe deu um filho que se chamou José, que virou o filho preferido de Israel. José pastoreava os rebanhos de seu pai, e ganhou uma linda túnica dele. Seus irmãos ficaram com muito ciúmes pois trabalhavam o dia inteiro e nunca ganharam uma túnica especial de seu pai. Um dia José teve um sonho, ele sonhou que a lua, o sol e onze estrelas se curvavam diante dele. Depois disso seus irmãos ficaram ainda com mais raiva dele.

José é vendido por seus irmãos

Gênesis 37: 12 a 36

Depois do sonho de José, seus irmãos se juntaram e resolveram vender ele como escravo em troca de algumas moedas. Para não contarem a verdade ao seu pai, rasgaram a túnica de José, sujaram com sangue e disseram que um animal havia matado seu filho mais novo, Israel ficou muito triste, mas não imaginava que seu filho tinha sido vendido a Potifar, oficial do faraó e capitão da guarda.

shutterstock.com/Irmhild B

A mulher de Potifar mente sobre José

Gênesis 39: 1 a 23

Potifar se agradou de José, e de escravo o fez virar administrador de seus bens, deixando a seu cuidado sua casa e tudo o que possuía. Porém a esposa de Potifar achou José muito atraente e quis ficar com ele sem que seu marido soubesse. Mas José sabia que isso era errado e não queria magoar Potifar. A esposa ficou muito brava por ter sido rejeitada, e mentiu a Potifar dizendo que José havia traído sua confiança querendo ficar com ela. Sendo assim, Potifar acreditou nela e ficou muito magoado com José e o mandou para prisão, mas em todos os momentos Deus estava com ele, e dentro da prisão o chefe dos prisioneiros gostou muito de José e

shutterstock.com/askib

o tornou responsável por tudo que lá havia.

José interpreta os sonhos de dois prisioneiros

Gênesis 40: 1 a 23

O chefe dos padeiros e dos copeiros fizeram uma ofensa ao rei do Egito e por isso foram presos, na mesma prisão onde estava José. Cada um deles teve um sonho na prisão, os dois ficaram incomodados, pois não sabiam o que significava, José então perguntou o que cada um sonhou. O chefe dos copeiros sonhou que viu uma videira com três ramos, elas brotaram, floresceram e deram uvas. José disse: "Dentro de três dias o faraó vai chamá-lo e restaurará sua posição, peço a você que quando isso acontecer lembre-se de mim e conte ao faraó sobre minha interpretação.". Depois o chefe dos padeiros contou que sonhou que em sua cabeça havia três cestos de pães, mas as aves vinham e comiam tudo. Então José explicou para ele que significava que em três dias o faraó iria chamá-lo e o mataria. Depois de três dias tudo o que José havia falado aconteceu, mas o chefe dos padeiros se esqueceu de falar sobre José a faraó.

José interpreta os sonhos de Faraó

Gênesis 41: 1 a 36

Depois de algum tempo faraó teve um sonho, ele sonhou que estava de pé junto ao rio Nilo, e saiam do rio sete vacas belas e gordas, e na sequência saiam sete vacas feias e magras. Faraó ficou muito incomodado com o sonho e mandou trazer todos os magos e sábios do Egito para interpretarem seu sonho, mas nenhum deles foi capaz de interpretá-los. Foi então que o copeiro se lembrou de José e avisou faraó, na mesma hora ele mandou o trazer da prisão. Após José ouvir o sonho disse a faraó: "Deus está revelando que nos próximos sete anos, o Egito terá muita fartura de alimentos, mas os outros sete anos o Egito passará fome".

José no governo do Egito

Gênesis 41: 37 a 57

Depois de revelar o significado dos sonhos a faraó, José fala para ele escolher alguém sábio e de sua confiança para que supervisione a colheita dos próximos sete anos de fartura, porque assim poderão fazer um estoque para os outros sete anos de fome, que servirão de reserva e ninguém ficará sem comida. Faraó gostou muito do plano de José e o nomeou governador do Egito, e assim ele se tornou o segundo homem mais poderoso, ficando apenas atrás do faraó.

shutterstock.com/askib

Os irmãos de José no Egito

Gênesis 42: 1 a 13

Após os sete anos de fartura no Egito, José começou a pegar o estoque dos anos anteriores e a vender para todo o povo, assim ninguém passaria fome. José era o responsável por essas vendas, e um dia, viu que seus irmãos que o venderam estavam na fila para comprar comida, eles não reconheceram José, mas José os reconheceu na hora, e disse: "Vocês são espiões, vieram ver onde a terra está desprotegida!". Mas os irmãos responderam que não, que só queriam levar comida a sua família. José então lembrou de seu sonho sobre o sol, a lua e as onze estrelas, e entendeu que eram seus irmãos a se curvar diante dele.

FEVEREIRO 1

José desconfia de seus irmãos

Gênesis 41: 14 a 24

Depois de um tempo se explicando a José, um dos irmãos falou que precisavam voltar com comida para seu pai que já estava velho e seu irmão mais novo Benjamim. Então José mandou prender todos eles, e disse que só os soltaria depois que um deles fosse buscar o irmão mais novo para provar que não estavam mentindo. Eles estavam apavorados e achavam que isso estava acontecendo pela maldade que fizeram com José. Ele ouviu essa conversa e começou a chorar, então ao invés de prender todos, prendeu somente Simeão e deixou os outros voltarem com comida a seu pai. Porém o trato era eles trazerem o irmão mais novo para que José soltasse Simeão.

Os irmãos levam Benjamim a José

Gênesis 42: 25 a 38 e 43: 1 a 34

Ao chegarem de volta a Canaã, os irmãos falam ao seu pai Israel que o governador do Egito prendeu Simeão e só irá soltá-lo depois de levarem Benjamim. Jacó ficou muito triste, pois já tinha perdido José, seu filho Simeão estava preso, e ainda queriam levar o caçula, mas sabia que eles teriam que voltar para pegar mais comida e resgatar seu filho que estava preso, então acabou concordando. Os irmãos de José chegaram com Benjamim, e levaram vários presentes ao governador para tentar agradá-lo. José soltou Simeão, e todos se curvaram diante dele. Ao ver Benjamim, José se emocionou, e então resolveu servir um banquete a todos.

A taça de José

Gênesis 44: 1 a 34 e 45: 1 a 13

José ainda estava incomodado com os irmãos, e mandou um de seus empregados colocar além da comida que iriam levar de volta para casa, sua taça de prata na bolsa de Benjamim. Na hora de irem embora, José pediu para revistar as bolsas de cada um, e então encontraram a taça, como se o caçula tivesse a roubado. Os irmãos ficaram desesperados, dariam suas vidas para não perderem seu irmão Benjamim, pensaram que seu pai não aguentaria de tanta tristeza se não voltassem com ele. José muito emocionado viu que seus irmãos aprenderam a lição e contou toda a verdade a eles, todos ficaram muito felizes em saber que o governador era seu irmão José, então ele mandou chamar seu pai para que todos vivessem no Egito junto com ele.

shutterstock.com/By ArtistXero

FEVEREIRO 4

Israel vai para o Egito

Gênesis 46: 1 a 4

Os irmãos voltaram correndo para contar ao pai o que tinha acontecido, e para se preparem para irem morar no Egito. Israel ficou feliz em saber que José estava vivo, e então ouviu Deus falar: "Eu sou Deus, o Deus de seu pai, cuidei de José até agora, então não tenha medo, porque no Egito farei de sua família uma grande nação." E Israel foi para o Egito em paz.

Os israelitas

Êxodo 1: 1 a 22

Os filhos de Israel se tornaram numerosos, porém, depois da morte de José, o rei que assumiu o trono nada sabia de sua história, e quando viu que os israelitas estavam ficando mais numerosos e mais fortes que os egípcios, mandou matar todos os bebês que nascessem homens, assim controlaria aquele povo. Os israelitas sofreram muito com aquilo.

freepik.com

O nascimento de Moisés

Êxodo 2: 1 a 10

Um homem israelita casou-se com uma moça do mesmo povo e juntos tiveram um filho chamado Moisés, mas como ele era menino, ela precisaria escondê-lo para que os egípcios não o matassem, então ela teve uma ideia de colocá-lo dentro de um cesto de madeira nas margens do rio Nilo, a irmã de Moisés, Miriã, foi acompanhando o cesto para ver onde iria chegar, e ele acabou nas mãos da filha do faraó, ela ficou encantada com o bebê, ficou com ele e o criou como filho.

A fuga de Moisés

Êxodo 2: 11 a 15

Apesar de Moisés ter se salvado das mãos do faraó, o povo hebreu ainda sofria muito e era escravo no Egito. Certo dia, depois de Moisés já ter se tornado adulto, viu um egípcio batendo em um hebreu, ele ficou com muita raiva daquilo, matou o egípcio e o enterrou na areia. No dia seguinte ele voltou ao local e dois hebreus também estavam brigando, e disse: "Por que você está batendo no seu irmão?" o homens retrucou: "Quem você pensa que é? Vai me matar como matou o egípcio?". Com medo de ser morto por faraó, fugiu para a terra de Midiã.

FEVEREIRO 8

Moisés chega a Midiã

Êxodo 2: 16 a 21

Ao chegar em Midiã, Moisés se sentou a beira de um poço. Naquela cidade existia um homem chamado Jetro, ele tinha sete filhas, e naquele dia elas foram buscar água naquele mesmo poço. Mas alguns pastores começaram a expulsá-las de lá, ao ver isso Moisés as defendeu e mandou os pastores irem embora. Quando contaram a seu pai que um homem havia as defendido, ele mandou chamar Moisés para morar com eles, já que não tinha onde ficar. Moisés aceitou e acabou se apaixonando por uma das filhas de Jetro, ela se chamava Zípora, e eles se casaram, e juntos tiveram um filho chamado Gérson.

shutterstock.com/ By askib

Deus fala com Moisés

Êxodo 2: 23 e 24 e 3: 1 a 21

Muito tempo se passou, e o povo israelita ainda sofria muito no Egito, mas então Deus ouviu o clamor daquele povo. Sendo assim, um dia enquanto Moisés cuidava das ovelhas de seu sogro, viu um arbusto em chamas, mas ele não se queimava, aquilo chamou a atenção de Moisés, e ele chegou mais perto para ver, foi quando ouviu a voz de Deus: "Moisés, tire as  sandálias do seus pés, porque o lugar que pisa é santo. Eu sou Deus de Abraão, Isaque e Jacó, e tenho visto que meu povo tem sofrido no Egito, por isso te envio naquele lugar para livrar meu povo das mãos do faraó!". Moisés ouviu e sentiu medo, pois como o faraó ouviria alguém como ele pra libertar o povo hebreu? Mas Deus disse a ele: "Eu Sou o que Sou, não tenha medo pois Eu estarei contigo."

shutterstock.com/askib

Os sinais milagrosos

Êxodo 4: 1 a 17

Moisés pergunta a Deus: "Mas e se eles não acreditarem em mim?". Então Deus fala para ele pegar sua vara e colocar no chão, a vara se transformou em uma serpente, e quando ele a pegou novamente, ela voltou a ser uma vara, mais tarde Deus colocou uma doença na mão de Moisés que era incurável e depois o curou. E prosseguiu o Senhor: "Se eles não acreditarem em você em nenhum dos dois sinais milagrosos, tire um pouco de água do rio Nilo e essa água se transformará em sangue". Mas ainda assim, Moisés não estava seguro de ir ao Egito, então Deus disse a ele que seu irmão de mesma mãe, Arão, iria lhe acompanhar na volta ao Egito, confirmou que Ele estaria junto com eles, e por fim lembrou Moisés de levar sua vara junto consigo, pois com ela faria os sinais milagrosos.

freepik.com

A volta de Moisés ao Egito

Êxodo 4:18 a 31

shutterstock.com / By ArtistXero

Moisés e sua família foram para o Egito e se reuniram com o povo israelita, Moisés então fez os sinais milagrosos que Deus lhe deu o poder de fazer, e explicou que Deus havia o mandando para o Egito para que libertasse eles das mãos de faraó. O povo ficou muito feliz pois sabia que Deus havia ouvido suas orações, então todos se curvaram e adoraram a Deus.

Moisés e Arão vão falar com faraó

Êxodo 5: 1 a 20

Quando Moisés e Arão pedem a faraó para que liberte o povo de Deus, faraó fala: "Quem é o Senhor, para que eu lhe obedeça e deixe o povo ir embora?", e eles insistem dizendo que foi o Deus dos hebreus que mandou ele libertar seu povo, caso contrário Ele feriria o Egito com pragas. Mas faraó não deu atenção a eles e fez o povo trabalhar ainda mais.

shutterstock.com/Jana Guothova

A vara de Moisés
se transforma em serpente

Êxodo 7: 8 a 13

Moisés e Arão voltaram a se encontrar com faraó, assim como mandou o Senhor, colocou sua vara no chão e ela se transformou em serpente, mas faraó chamou seus sábios e feiticeiros e eles também transformaram suas varas em serpentes com suas ciências ocultas. A serpente de Moisés engoliu todas as outras, porém ainda assim o coração de faraó continuava duro e ele não enxergava o poder de Deus.

shutterstock.com/askib

FEVEREIRO 14

Primeira e segunda praga: sangue e rãs

Êxodo 7: 14 a 25 e 8: 1 a 15

Assim como Deus havia falado para Moisés, se o faraó não libertasse seu povo ele iria ferir o Egito com pragas. A primeira delas foi transformar a água em sangue. Deus mandou Moisés ir ao rio Nilo e colocar sua vara nas águas, e ao fazer isso as águas viraram sangue, os peixes morreram, e não era mais possível beber a água do rio. Então novamente Moisés pediu para que faraó libertasse o povo de Deus, e ele não deu ouvidos, dessa vez Deus mandou uma praga de rãs que infestaram o Egito, havia rãs em todos os lugares.

Terceira e quarta praga: piolhos e moscas

Êxodo 8: 16 a 31

Moisés mais uma vez foi falar com faraó, mas ele não deixou o povo ir, então Deus mandou uma praga de piolhos, todo pó de toda terra do Egito virou piolho e atormentou a vida de todos os animais e homens do Egito. Mas o coração de faraó continuava duro e ele não libertou o povo de Deus, por isso Deus mandou a quarta praga, moscas. O enxame de moscas invadiu a cidade, e a casa de todos os egípcios que ali moravam.

Quinta e sexta praga: morte dos rebanho e feridas

Êxodo 9: 1 a 12

Faraó estava muito incomodado com todas aquelas pragas, mas não abria mão de seus escravos, por isso Deus mandou a quinta praga, a morte de todo o rebanho do povo egípcio, morreram todos os cavalos, jumentos, camelos, bois, ovelhas e todo animal que vivia no campo. Então, Moisés mais uma vez foi falar com faraó, mas seu coração era duro e ele não deixou o povo partir. E sobre o povo egípcio veio a sexta praga, feridas. Deus mandou Moisés tirar um punhado de cinzas de uma fornalha, e espalhar no ar, ela se tornou como um pó e atingiu todo o Egito, formando feridas nos corpos dos homens e animais.

Sétima, oitava e nona praga: granizo, gafanhotos e trevas

Êxodo 9: 13 a 35 e 10: 1 a 29

"Deixe meu povo ir!" disse Moisés, mas mais uma vez o Faraó disse: "Não!!!". E a sétima praga foi enviada por Deus, granizo. E veio sobre o Egito a pior tempestade de pedras que já existiu. Faraó ainda continuava com o coração duro, então Deus enviou gafanhotos por toda terra, eles destruíram as plantações e tudo o que restou no Egito. E então veio a nona praga, trevas. Todo o Egito ficou no escuro durante três dias, e nada podia se enxergar.

O anúncio da décima praga

Êxodo 11: 1 a 10

Nenhuma dessas pragas atingiu o povo de Deus, porém o Egito estava destruído e o coração de faraó cada vez mais duro. Então Moisés o alertou da décima praga: "Assim disse o Senhor, por volta da meia noite, passarei pelo Egito, e todos os primogênitos dos egípcios morrerão, desde o filho mais velho de faraó, herdeiro do trono, até o filho mais velho da moça que trabalha no moinho, assim como as primeiras crias do gado. Haverá muita tristeza no Egito como nunca existiu." Faraó não amoleceu e manteve sua decisão de não deixar o povo ir.

Décima praga: morte dos primogênitos

Êxodo 12: 1 a 30

Antes de mandar a décima praga, Deus avisou Moisés que todo o povo hebreu, deveria separar um cordeiro por família, e deveriam passar seu sangue no batente da porta de suas casas, dessa forma, a hora que o anjo da morte passasse para matar os primogênitos, saberia que nessas casas não deveria entrar. E então a décima praga aconteceu, e todo o filho mais velho do povo egípcio morreu. Faraó ficou muito triste e com raiva, pois seu filho também tinha morrido, então disse a Moisés: "Saiam imediatamente do Egito, e levem seu povo junto, vão adorar ao Deus de vocês!". E assim, o povo hebreu foi libertado das mãos do faraó.

FEVEREIRO 20

shutterstock.com/askib

A saída do povo hebreu do Egito

Êxodo 13: 20 a 22

Deus disse a Moisés que ele tiraria seu povo do Egito, e depois de tanta dor e sofrimento os levaria a terra prometida. Havia cerca de seiscentos mil homens, além de mulheres e crianças seguindo Moisés e Arão. Durante o dia Deus ia adiante deles como uma coluna de nuvem, para guiá-los no caminho, e de noite, numa coluna de fogo, para iluminá-los.

O povo hebreu chega ao mar vermelho

Êxodo 14: 1 a 15

Depois de ter deixado o povo hebreu ir embora, faraó se arrependeu, e foi atrás deles junto de todo o seu exército, para trazê-los de volta. O povo hebreu ficou com medo, mas Moisés os avisou que deveriam confiar no Senhor e continuaram sua caminhada, até que chegaram ao mar vermelho. Moisés não tinha outro caminho, não tinham como passar pelo mar, e se ficassem ali seriam alcançados pelo faraó. O povo dizia que preferia ter ficado no Egito como escravo, nesse momento Moisés clamava ao Senhor.

O mar vermelho se abre

Êxodo 14: 16 a 31

Depois de orar Moisés ouviu a voz de Deus: "Levante sua vara e estenda a mão sobre o mar, e as águas se dividirão para que os israelitas atravessem o mar em terra seca." e assim Moisés fez, o mar se abriu e o povo passou, e depois ele colocou sua vara novamente sobre o mar e o mar se fechou cobrindo todo os egípcios que estavam os seguindo. E o povo hebreu pôde ver o poder de Deus, e assim confiaram Nele.

FEVEREIRO 23

Moisés e o povo cantam ao Senhor

Êxodo 15: 1 a 21

Moisés e o povo estavam muito felizes por Deus ter os livrado das mãos de faraó, agora eles eram livres e todos juntos cantaram ao Senhor: "O Senhor é a minha força e a minha canção, ele é minha salvação, Ele é meu Deus e eu o glorificarei! Obrigado Senhor."

As águas de Mara

Êxodo 15: 22 a 27

Moisés então levou o povo do mar Vermelho até o deserto de Sur, mas eles caminharam três dias e não encontraram água. Quando chegaram em Mara acharam água, mas ela era amarga, e o povo logo começou a reclamar a Moisés. Então ele clamou ao Senhor, e este lhe mostrou um arbusto, disse para que Moisés jogasse o nas águas. Obedecendo a Deus, Moisés fez isso e a água ficou boa e todos puderam matar sua sede.

FEVEREIRO 25

O maná e as codornas

Êxodo 16: 1 a 36

Depois de caminharem muito tempo pelo deserto em busca da terra prometida por Deus, todo o povo estava com muita fome, e eles reclamaram para Moisés e Arão. Mas então, Deus ouvindo isso, disse a Moisés: "Eu lhes farei chover pão do céu pela manhã, e ao entardecer enviarei codornas, para que comam carne." Este foi o maná que Deus enviou, o povo hebreu pôde se alimentar desse maná durante muito tempo, pois o Senhor não os deixava passar fome.

A água sai da rocha

Êxodo 17: 1 a 7

O povo continuava a caminhar no deserto, e apesar de alimentados por Deus sentiam sede, e novamente reclamavam a Moisés e Arão. Então Moisés pede ajuda a Deus, e este fala a ele: "Pegue sua vara na mão, e Eu estarei a sua espera no alto da rocha do monte Herobe, você baterá na rocha, e dela sairá água para o povo beber." E assim todos mataram sua sede.

shutterstock.com/By askib

A visita de Jetro

Êxodo 18: 1 a 12

Quando Jetro ficou sabendo de tudo o que havia acontecido e que Moisés havia conseguido libertar o povo do Egito, foi visitá-lo. Ao chegar lá Moisés contou toda a história sobre as pragas, o mar Vermelho, e os milagres diários de Deus que não os deixou passar fome ou sede durante a caminhada. Jetro então ficou muito feliz, e como meio de agradecer a Deus por tudo o que tinha feito, fez ofertas ao Senhor.

freepik.com

O conselho de Jetro

Êxodo 18: 13 a 27

Jetro observou que Moisés estava sobrecarregado, estava fazendo tudo sozinho praticamente, tinha que atender os pedidos do povo e ao mesmo tempo precisava guiá-los a terra prometida. Por isso Jetro deu um conselho a Moisés: "Seja você o representante do povo diante de Deus, oriente-os quanto as leis, como devem viver e o que devem fazer, porém, escolha dentre o povo homens capazes, e que confiam em Deus, e coloque eles como chefes para que possam te ajudar e aconselhar o povo." Moisés seguiu o conselho do sogro, e viu que isso foi muito bom. Depois disso, Jetro voltou para sua casa.

FEVEREIRO 29

Moisés chega ao Monte Sinai

Êxodo 19: 1 a 25

No dia que completou três meses que os israelitas haviam saído do Egito, chegaram no deserto do Sinai, então Moisés subiu no monte para falar com Deus, e o Senhor pediu para ele dizer ao povo o seguinte: "Vocês viram o que eu fiz no Egito e como eu os livrei, agora se me obedecerem fielmente e guardarem minha aliança, vocês serão o meu tesouro dentre todas as nações!". Quando Moisés disse ao povo o que o Senhor havia lhe falado, todos concordaram em fazer tudo o que Deus havia mandado.

shutterstock.com/vasilchuck

Os dez mandamentos

Êxodo 20: 1 a 17

Ao voltar no Monte Sinai Deus disse essas palavras a Moisés: "Eu sou o Senhor, teu Deus, que te tirou da escravidão no Egito"

Não adore outros deuses além de mim;

Não adore imagens ou ídolos;

Não use meu nome em vão, pois meu nome é Santo;

Lembra-te do sábado, ele é um dia de descanso e deve ser dedicado ao Senhor;

Honre e obedeça sempre teu pai e tua mãe;

Não mate;

Não traia sua esposa ou esposo;

Não roube;

Não conte mentiras ou fale mal dos outros;

Não tenha inveja do seu próximo.

MARÇO 2

O bezerro de ouro

Êxodo 32: 1 a 35

Esses dez mandamentos foram escritos em tábuas de pedra, para que assim, o povo pudesse viver de acordo com aquelas leis. Moisés passou quarenta dias no Monte Sinai recebendo as instruções de Deus, porém o povo achou que ele havia morrido por estar tanto tempo lá. Por causa disso, o povo convenceu Arão que precisavam de um outro deus para cuidar deles, e assim construíram um bezerro de ouro para adorar, como se fosse um deus. Quando Moisés desceu e viu tudo aquilo ficou muito bravo com o povo e destruiu o bezerro, e Deus também ficou muito chateado, pois não confiaram Nele e fizeram uma estátua para adorar, mas a pedido de Moisés, Ele perdoou o povo.

O Tabernáculo do Senhor

Êxodo 35: 1 a 29

Um dia, o Senhor pediu a Moisés para que construísse um tabernáculo, que era uma grande tenda em que o povo ia adorar e levar ofertas a Deus, como joias, perfumes, peles de animais, ouro prata e bronze. Eles construíram o tabernáculo assim como Deus pediu e depois todos levaram com alegria suas ofertas para adorarem ao Senhor. Construíram também a arca da aliança que era feita de ouro para guardar as tábuas dos mandamentos. O Tabernáculo era móvel, acompanhava o povo na caminhada no deserto, e simbolizava a adoração do povo de Israel a Deus.

MARÇO 4

A missão de reconhecer a terra de Canaã

Números 13: 1 a 33

O Senhor disse a Moisés que enviasse alguns homens em missão de reconhecer Canaã, terra que prometeu ao povo israelita. Moisés o obedeceu e enviou um líder de cada tribo do povo, doze no total. A missão deles era ver a terra, e se o povo que lá vivia era forte ou fraco, se eram muitos ou poucos, se a terra era fértil ou pobre, além disso, eles deviam trazer também frutos daquela terra. Depois de quarenta dias eles retornaram, trouxeram frutas muito gostosas, disseram que havia leite e mel com fartura, mas também contaram que o povo de lá era mais forte, e que lá tinha gigantes. Mas Moisés não ficou desanimado, porque ele sabia que Deus estava com ele e o povo.

O castigo do povo

Números 14: 1 a 44

Apesar de Moisés confiar muito em Deus, o povo israelita ficou muito desanimado e com medo do que os líderes que foram a Canaã contaram pra eles, mesmo depois de tudo o que Deus havia feito por eles, ainda assim, eles duvidaram de Deus. O Senhor ficou desapontado pela falta de fé do povo, mas a pedido de Moisés mais uma vez Deus os perdoou. Porém disse a Moisés que por causa disso eles caminhariam quarenta anos no deserto e todos aqueles que não confiaram no Senhor não entrariam na terra prometida.

A vara de Arão floresce

Números 17: 1 a 12

O Senhor disse a Moisés: "Peça aos israelitas que tragam doze varas, uma de cada líder das tribos, escreva os nomes de cada um, na vara de Levi escreva o nome de Arão, e coloque dentro do Tabernáculo. A vara que eu escolher florescerá e o povo irá parar de reclamar.". E foi exatamente o que Moisés fez, no dia seguinte quando entrou no Tabernáculo viu que a vara de Arão havia dado flores, então o Senhor falou novamente com Moisés: "Ponha a vara de Arão em frente a arca da aliança, para que o povo veja o que fiz e pare de reclamar contra mim.".

shutterstock.com/Arak Rattanawijittakornlryna Rasko

A serpente de bronze

Números 21: 4 a 9

Moisés caminhava com o povo no sentido da terra prometida, mas já faziam anos que eles caminhavam e já estavam impacientes, mesmo Deus provando todos os dias que não os abandonaria, eles estavam sempre reclamando a Moisés. Então apareceram serpentes venosas para morder o povo, e muitos morreram. O povo viu que havia pecado contra Deus e pediu para que Moisés falasse com Deus para que tirasse as serpentes do meio deles. E Deus disse a ele: "Faça uma serpente de bronze e coloque no alto de um poste, quem foi mordido e olhar para ela viverá.". E o povo pôde mais uma vez ver o poder de Deus.

O grande mandamento: Amar a Deus

Deuteronômio 6: 1 a 9

shutterstock.com/askib

Moisés convocou o povo para lembrá-los de tudo o que Deus havia pedido a eles em relação aos mandamentos e disse também: "Ouça Israel, o Senhor, o nosso Deus, é o único Senhor, ame o Senhor, o seu Deus, de todo o seu coração, de toda a sua alma e de todas as suas forças, que essas palavras que hoje digo estejam em seus corações.". E o povo ouviu tudo o que Moisés disse com muita atenção.

Josué, o novo líder do povo

Deuteronômio 31; 1 a 8 e Josué 14: 6 a 5

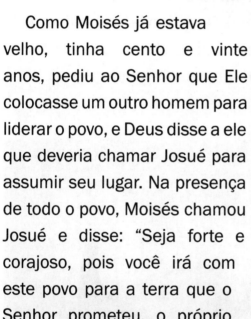

Como Moisés já estava velho, tinha cento e vinte anos, pediu ao Senhor que Ele colocasse um outro homem para liderar o povo, e Deus disse a ele que deveria chamar Josué para assumir seu lugar. Na presença de todo o povo, Moisés chamou Josué e disse: "Seja forte e corajoso, pois você irá com este povo para a terra que o Senhor prometeu, o próprio Senhor irá a sua frente e estará com você, Ele nunca o deixará, nunca o abandonará, por isso não tenha medo e nem desanime!". E Josué teve um companheiro para ajudá-lo a liderar o povo que se chamava Calebe.

shutterstock.com/MatiasDelCarmine

A morte de Moisés no monte Nebo

Deuteronômio 34: 1 a 12

O Senhor pediu a Moisés que subisse ao Monte Nebo, dali ele poderia ver a terra prometida, Canaã, terra que dá leite e mel com fartura, terra que foi prometida a Abraão, Isaque e Jacó. Moisés não pôde entrar, mas conseguiu ver tudo o que Deus havia prometido. E lá no monte Moisés morreu. O povo chorou sua morte por trinta dias e depois seguiram seu novo líder Josué.

shutterstock.com/Dima Oris

Os dois espiões em Jericó

Josué 2: 1 a 24

A missão de Josué como líder era levar o povo até Canaã, para que lá desfrutassem tudo o que Deus havia prometido. Então Josué mandou dois homens até Jericó, terra próxima de Canaã, para espionarem a terra. Eles ficaram escondidos na casa de uma moça que se chamava Raabe. O rei de Jericó ao descobrir mandou seus guardas até lá, mas ela os escondeu e disse que já não estavam mais lá. Raabe os ajudou a escapar, e pediu que eles não se esquecessem dela e de sua família quando fossem morar na terra prometida. Os espiões ouviram e depois partiram para contar tudo a Josué.

MARÇO 12

A travessia do rio Jordão

Josué 3: 1 a 13

shutterstock.com/npine

Josué e seu povo tinham que ir para Jericó para conquistá-la e então seguir para a terra prometida, mas para chegar em Jericó era preciso atravessar o rio Jordão. Deus disse a Josué tudo o que eles deveriam fazer. O Senhor abriu as águas do rio assim como no mar Vermelho, os sacerdotes foram na frente levando a arca da aliança, e um pouco mais para trás vinha o povo. E novamente o povo pôde ver o poder e a força de Deus.

A queda de Jericó

Josué 5: 13 a 15 e 6: 1 a 5

shutterstock.com/Irmhild B

Jericó estava completamente fechada, ninguém podia entrar ou sair, então Deus disse a Josué: "Marche uma vez ao redor da cidade, com todos os homens armados, faça isso durante seis dias, sete sacerdotes levarão cada um uma trombeta. No sétimo dia, marchem todos sete vezes ao redor da cidade, e os sacerdotes tocarão as trombetas. Quando as trombetas tocarem, todo povo gritará e o muro de Jericó irá cair, e assim o povo poderá atacar.". E foi exatamente o que aconteceu, Deus mais uma vez provou que estava com os israelitas. Nesse dia Raabe e sua família foram morar com o povo de Israel, pois também confiaram em Deus.

MARÇO 14

O dia que o Sol parou
Josué 10: 12 a 15

Josué e o povo continuaram a caminhada até a terra prometida. Depois de destruírem Jericó, eles tiveram que lutar com os amorreus, pois todos os reis desse povo se juntaram para lutar contra eles. Então Josué falou com Deus na frente de todo povo: "Sol pare sobre nós, e lua, demore para surgir!". O sol parou, e a lua demorou para aparecer, e por quase um dia inteiro o sol não se pôs, e assim o povo de Israel teve tempo para vencer os inimigos e continuar a caminhada para Canaã. Nunca antes nem depois houve um dia como aquele, sem dúvida o Senhor lutava por Israel.

freepik.com

MARÇO 15

A divisão das terras

Josué 14: 1 a 5

Depois de muito tempo, o povo chegou e conquistou Canaã, a terra prometida por Deus que eles tanto esperavam. Cada uma das tribos de Israel ficou com uma parte da terra para poder morar e cuidar. Duas tribos e meia ficaram com terras para morar antes do rio Jordão, as nove tribos e meia ficaram com sua parte na terra de Canaã. Já a tribo dos levitas não recebeu porção alguma de terra, mas puderam morar com suas famílias e rebanhos em cidades de Canaã.

MARÇO 16

A despedida de Josué

Josué 23: 1 a 8 e 24: 28 e 29

Passou muito tempo, o Senhor já tinha dado descanso dos inimigos ao redor, mas Josué já estava velho, e então disse ao povo: "Estou velho, mas vocês viram tudo o que o Senhor, seu Deus fez por amor a vocês, lembrem-se que reparti por herança para as tribos de todos, todos tem lugar para morar. Façam todo o esforço para obedecer as leis do Senhor, não se desviem, não adorem outros deuses, mas se apeguem somente ao Senhor.". Depois disso, Josué se despediu do povo e morreu, ele tinha cento e dez anos.

A desobediência do povo

Juízes 2: 6 a 14

Passado algum tempo, toda aquela geração que viveu e viu o que o Senhor havia feito ficou para trás e surgiu uma nova geração, que não conhecia o que Deus fez pelo povo, eles adoravam a outros deuses, e abandonaram o Senhor. Deus ficou muito triste e por isso os entregou nas mãos dos filisteus, inimigos do povo de Israel, durante quarenta anos.

freepik.com

O nascimento de Sansão

Juízes 13: 1 a 25

Certo homem, chamado Manoá, da tribo de Dá, era casado com uma mulher que não podia engravidar. Um dia o anjo do Senhor apareceu e disse a ela: "Você engravidará e terá um bebê!". Então a mulher contou tudo a seu marido Manoá, ele e sua esposa agradeceram a Deus, e depois de nove meses nasceu o menino Sansão.

MARÇO 19

Sansão se apaixona

Juízes 14: 1 a 4

Sansão cresceu e o Senhor abençoou sua vida. Um dia ele foi para Timna e viu uma moça do povo filisteu, ele se apaixonou e quis se casar com ela. Porém seus pais não entendiam porque ele precisava se casar com alguém do povo filisteu e não do povo de Israel. Mas os pais não sabiam que isso vinha do Senhor, que buscava ocasião contra os filisteus, pois naquela época eles dominavam Israel.

MARÇO 20

Sansão mata o leão

Juízes 14: 5 a 9

Um dia, enquanto estava em Timna Sansão passou por um leão que foi a seu encontro para atacá-lo, mas o Espírito do Senhor estava com ele, e sem nada nas mãos ele rasgou o leão como se fosse um cabrito. Algum tempo depois, quando Sansão voltou a Timna para se casar com a moça, ele viu o leão morto, e nele havia um enxame de abelhas e mel. Sansão provou do mel e depois dividiu com seus pais antes de ir para a festa de casamento, mas não disse onde havia encontrado o mel.

shutterstock.com/YRoma

MARÇO **21**

A charada de Sansão

Juízes 14: 10 a 20

shutterstock.com/asklb

Naquela época, as festas de casamento duravam sete dias. No primeiro dia da festa, Sansão disse aos convidados: "Tenho uma charada, se vocês puderem dar a resposta até o sétimo dia da festa, então darei trinta roupas de festa e trinta roupas de uso para o dia-a-dia, mas se não conseguirem vocês que terão que me dar essas roupas. A charada é: do que come saiu comida, do que é forte saiu doçura.". Durante três dias ninguém soube responder, no quarto dia disseram a mulher dele para que o convencesse a explicar a charada, ameaçando queimar a casa dela e de seus pais se não fizesse aquilo. Com medo, ela descobriu a resposta e contou a eles. Os homens então disseram a ele: "O que é mais doce que o mel o que é mais forte que o leão?". Sansão percebeu que os homens só sabiam pois sua mulher tinha contado, ainda assim ele deu as roupas aos homens, mas ficou muito triste com sua esposa, e voltou para casa de seus pais.

A vingança de Sansão

Juízes 15: 1 a 6

Um tempo depois, Sansão foi visitar a moça que havia se casado e levou um cabrito, mas ao chegar lá o pai dela não o deixou entrar para vê-la. Como Sansão foi embora, seu pai deu ela para se casar com um amigo dele. Sansão ficou muito bravo e quis se vingar dos filisteus, ele pegou trezentas raposas, colocou uma tocha de fogo em suas caldas e espalhou elas pelas plantações dos filisteus. Assim elas queimaram tudo, e os filisteus ficaram muito bravos.

Sansão mata mil homens

Juízes 15: 9 a 16

Os filisteus tinham ficado com muita raiva de Sansão, por isso foram até Judá e falaram aos israelitas que queriam levar Sansão amarrado e tratá-lo como ele os tratou. Os israelitas foram até Sansão e contaram o que havia acontecido, eles disseram que iriam entregá-lo, e Sansão concordou em ser levado por eles. Entregue aos inimigos, ele foi amarrado e levado até Leí, mas o Espírito do Senhor estava com ele, e Sansão com sua força arrebentou as cordas e lutou contra mil filisteus, e apenas com um osso do queixo de um jumento, venceu a todos.

shutterstock.com/Tomacco

Sansão arranca a porta de Gaza

Juízes 16: 1 a 3

Um dia Sansão foi a Gaza, e dormiu na casa de uma moça chamada Dalila, quando o povo descobriu que ele estava ali, cercaram o local e ficaram a espera dele para atacá-lo ao amanhecer. Mas a meia noite, Sansão levantou-se agarrou firme e arrancou a porta da cidade, colocou nos ombros e saiu de Gaza sem que ninguém pudesse fazer mal a ele.

Sansão e Dalila

Juízes 16: 1 a 21

Depois de um tempo, Sansão acabou se apaixonando por aquela moça Dalila, mas quando os filisteus descobriram pediram para que ela convencesse Sansão a contar o segredo de sua força em troca de muito dinheiro. Então ela foi e perguntou várias vezes para ele, mas ele nunca contava a verdade, e toda vez que eles tentavam capturá-lo viam que o segredo da força não era aquele que havia contado. Mas depois de muita insistência de Dalila, ele contou seu segredo, disse que se seu cabelo fosse raspado ele não teria mais força. Ela traiu Sansão e logo contou aos filisteus, então fez ele dormir em seu colo para que um dos homens raspasse seu cabelo. Eles prenderam facilmente Sansão, e depois disso deixaram ele cego.

A morte de Sansão

Juízes 16: 25 a 31

Os filisteus estavam muito felizes com a prisão de Sansão, e começaram a adorar seu deus que chamavam de Dagom. Eles prenderam Sansão entre duas colunas que sustentavam o templo, homens e mulheres lotavam aquele templo, tinha cerca de três mil pessoas ali. Então Sansão orou a Deus e pediu para que lhe desse sua força de volta mais uma vez. Deus ouviu seu pedido, e com toda sua força, Sansão empurrou as colunas que fizeram o templo desabar sobre todos que estavam ali, inclusive ele.

Rute e Noemi
Rute 1: 1 a 22

Elimeleque e Noemi eram um casal de Belém de Judá, mas naquela época houve muita fome em toda a terra e eles foram morar em Moabe junto de seus dois filhos, Malom e Quilion. Depois de um tempo Elimeleque morreu, seu filho Malom se casou com Rute e Quilion com Orfa, as duas eram nascidas em Moabe. Depois de dez anos, seus maridos também morreram. Noemi, ficou sem marido e sem os dois filhos, então decidiu voltar para Judá e disse para suas noras voltarem a morar com suas mães. Orfa então se despediu e voltou para a casa de seus pais, mas Rute não deixou Noemi sozinha e disse a ela: "Aonde for irei, onde ficar ficarei, o teu povo será meu povo, o teu Deus será o meu Deus.". E assim as duas voltaram para Belém.

shutterstock.com/askib

Rute conhece Boaz

Rute 2: 1 a 23

Antes de morrer Elimeleque marido de Noemi, trabalhava para um parente muito rico chamado Boaz. Rute então foi recolher espigas no campo dele. Enquanto Rute estava trabalhando, Boaz a viu e quis saber quem era ela, seus empregados contaram que ela era nora de Noemi e que havia pedido para trabalhar colhendo espigas para alimentar ela e sua sogra. Sabendo disso, Boaz foi falar com Rute, e pediu para que ela continuasse a trabalhar lá, Rute ficou muito feliz, foi contar a Noemi e mostrar todo o alimento que havia conseguido para elas.

Noemi conversa com Rute

Rute 3: 1 a 5

Noemi disse a Rute: "Minha filha, já está na hora de se casar de novo, e Boaz é meu parente próximo, é o homem certo para você. Hoje a noite, tome um banho, fique perfumada e vá ao encontro dele, enquanto estiver dormindo. Ao chegar lá ele vai falar o que deve fazer.". E Rute respondeu: "Farei tudo o que você me disse."

Rute vai se encontrar com Boaz

Rute 3: 6 a 18

Rute fez tudo como sua sogra havia falado, e deitou aos pés da cama de Boaz. Quando ele acordou ficou assustado e perguntou quem era ela, e ela respondeu: "Sou Rute, sua serva". Boaz sabia que ela era uma boa moça, e por isso quis se casar com ela. Rute ficou muito feliz e foi contar a Noemi tudo o que havia acontecido.

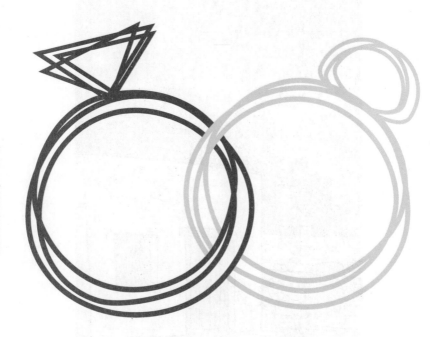

Boaz e Rute se casam

Rute 4: 1 a 22

Boaz se casou com Rute e juntos tiveram um filho, que se chamava Obede. As mulheres da cidade falaram a Noemi: "Louvado seja o Senhor, que te deu um neto, ele lhe dará vida nova em sua velhice.". Noemi ajudou Rute a cuidar do menino, e ele foi muito importante em Israel. Obede foi pai de Jessé, que foi pai de Davi.

ABRIL 1

A história de Ana

1 Samuel 1: 1 a 8

Elcana era um homem que morava em Efraim, ele tinha duas mulheres, Penina e Ana. Penina já tinha dado três filhos a ele, porém Ana não conseguia engravidar. Elcana amava mais Ana, mas mesmo assim ela chorava por não poder ter filhos, Penina, irritava e provocava ela, e isso a deixava ainda mais triste.

shutterstock.com/ArtMari

Ana ora ao Senhor

1 Samuel 1: 9 a 17

Ana estava muito triste e um dia foi ao templo orar ao Senhor. Lá ela chorou e pediu ao Senhor fazendo uma promessa que se Deus lhe desse um filho, ela então o dedicaria ao Senhor e ele passaria todos os dias da sua vida na casa de Deus, e seu cabelo e barba nunca seriam cortados. Enquanto ela orava ao Senhor, o sacerdote Eli que estava no templo viu sua boca se mexendo, mas não ouvia som, e disse a ela: "Até quando ficará bêbada?". Mas ela respondeu que não estava bêbada, mas sim, orando a Deus pois estava muito triste. Então ele respondeu: "Vá com Deus e que Ele responda sua oração.".

ABRIL 3

Samuel nasce

1 Samuel 1: 19 a 28

Deus viu o sofrimento de Ana e ouviu sua oração, então ela ficou grávida e teve um filho que deu o nome de Samuel. E depois que o menino não mamava mais, ela fez o que prometeu, levou Samuel ao templo e com muita alegria o entregou a Eli e disse: "Este era o menino que eu pedia, e o Senhor me ouviu, por isso, agora, eu o dedico ao Senhor". E ali adorou a Deus.

O chamado de Samuel

1 Samuel 3: 1 a 18

Samuel estava crescendo no templo, e dedicava sua vida ao Senhor. Um dia enquanto estava deitado quase dormindo, ouviu alguém o chamando e ele prontamente respondeu: "Eis me aqui." e foi correndo até Eli, porém Eli disse que não o havia chamado. Isso aconteceu mais duas vezes, na terceira vez Samuel foi a Eli, e ele percebeu que era o Senhor que estava chamando Samuel então disse a ele: "Vá e deite-se, quando ouvir a voz novamente diga: Fala Senhor que teu servo te escuta." então Deus falou com ele tudo que Samuel precisava saber, e as palavras de Deus se cumpririam no futuro.

Saul é nomeado rei

1 Samuel 8, 9 e 10

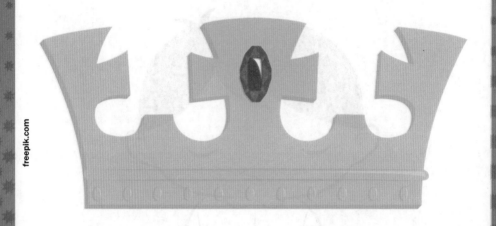

freepik.com

Na vida de Samuel se cumpriu a palavra de Deus e ele se tornou sacerdote em Israel, depois de alguns anos reuniu o povo e disse que Deus sabia que eles queriam um rei para governar. Um dia um homem chamado Saul, foi procurar as jumentas de seu pai que haviam se perdido, e ele acabou encontrando com Samuel. Quando Samuel o viu, ouviu a voz de Deus dizendo que Saul seria o novo rei que ele havia falado. Então Samuel o ungiu como novo rei de Israel, ele era um homem de boa aparência, sem igual entre os israelitas, os mais altos batiam em seus ombros.

Saul liberta a cidade de Jabes
1 Samuel 11: 1 a 15

Os amonitas avançaram contra uma parte do povo de Israel, a cidade chamava Jabes-Gileade. Os israelitas que ali moravam ficaram com muito medo. A notícia então chegou até o rei Saul, ele ficou muito bravo e convocou todos os homens de Israel para lutarem e mandou avisar aqueles que moravam na cidade de Jades que o socorro estava a caminho. Então na alta madrugada na parte mais quente do dia, Saul dividiu seus soldados em três grupos e atacaram os amonitas, que fugiram todos atrapalhados com o susto dos soldados.

freepik.com

Saul desobedece

1 Samuel 13: 1 a 14

Um dia o povo filisteu começou a atacar os israelitas novamente, só que dessa vez eles estavam em um número muito alto e o exército de Saul não estava conseguindo contê-los, então o rei Saul e outros soldados ficaram com medo e resolveram se esconder dentro de uma caverna. Samuel combinou com Saul que iria se encontrar com ele no prazo de sete dias, eles ficaram esperando, mas ele não vinha, Saul não esperou e fez ofertas para entregar no altar de Deus, e assim que ele terminou Samuel chegou. Samuel ficou muito triste com ele, pois Saul desobedeceu o mandamento do Senhor, por causa disso Saul não poderia mais ser rei de Israel.

freepik.com

Samuel escolhe Davi
1 Samuel 16: 1 a 13

Saul ainda era rei, mas Deus mandou Samuel ir até Belém na casa de Jessé para procurar um novo rei para Israel. Chegando lá, Samuel viu os filhos de Jessé, um deles chamava Eliabe, e logo Samuel achou que ele deveria ser o novo rei. Mas Deus disse: "Não considere sua aparência ou altura, esse não é o rei.". Samuel viu os outros seis filhos de Jessé, mas Deus não confirmou nenhum deles em seu coração para ser ungido rei. Então Jessé disse que tinha um filho mais novo que se chamava Davi, e quando Samuel o viu, Deus confirmou que aquele seria o novo rei de Israel.

Davi toca harpa para Saul

1 Samuel 16: 14 a 23

Davi ainda era muito novo, então Saul continuava sendo o rei, porém Deus já não estava com Saul como antes, por causa disso vivia nervoso e se aborrecia com tudo ao seu redor. Vendo essa situação, um dos oficiais de Saul disse a ele que quando se sentisse assim, um homem poderia tocar harpa para ele se acalmar, disse a ele também que Davi filho de Jessé sabia tocar e poderia tocar para ele. E foi o que aconteceu, Davi começou a tocar harpa, e Saul gostou muito dele. Toda vez que Saul ficava nervoso Davi tocava para acalmá-lo.

freepik.com

O gigante Golias

1 Samuel 17: 1 a 28

O povo de Israel guerreava contra os filisteus, e um dia um gigante filisteu chamado Golias com quase três metros de altura enfrentou os israelitas e disse: "Escolham um homem para lutar comigo, se ele vencer seremos seus escravos, porém se eu vencer vocês serão nossos.". Todos ficaram com muito medo, pois ele era muito grande e poderia esmagar qualquer um deles. Davi era pastor de ovelhas e não era guerreiro como alguns de seus irmãos, mas quando soube disso, pediu permissão ao atual rei Saul, para que pudesse lutar contra Golias, e assim ele permitiu.

A batalha de Davi e Golias

1 Samuel 17: 38 a 54

Antes de Davi seguir
para a batalha, Saul
lhe deu a armadura
necessária para que
pudesse lutar, porém
a armadura era muito
grande e pesada para
ele, então a rejeitou,
e foi apenas com seu
estilingue e cinco
pedrinhas na mão, ele

sabia que o Senhor estaria com ele. Quando Golias viu
Davi, logo achou que jamais ele o derrotaria, afinal ele
era muito pequeno e nem vestia armadura. Então Davi
preparou seu estilingue e em cheio acertou a cabeça
do gigante que caiu no chão, Davi pegou a espada dele
e lhe cortou a cabeça. Quando os filisteus viram isso
fugiram todos assustados e o povo de Israel ficou muito
feliz com Davi.

Davi e Jônatas

1 Samuel 18: 1 a 5

Saul tinha um filho que se chamava Jônatas, esse acabou se tornando o melhor amigo de Davi. Como prova de sua amizade Jônatas deu para Davi, uma túnica, sua espada, seu arco e cinturão. Davi então foi chamado por Saul para servir em seu exército, e todos gostavam dele, inclusive o povo e os conselheiros de Saul.

Saul sente inveja de Davi

1 Samuel 18: 6 a 16

Só tinha um problema, Saul começou a sentir inveja de Davi, pois todos gostavam muito dele. Algumas mulheres foram até Saul e cantaram para ele: "Saul matou milhares, Davi matou dezenas de milhares" isso fez com que Saul ficasse com mais raiva, então bolou um plano para matar Davi, ele atirou uma lança nele, mas Davi desviou duas vezes e ele não conseguiu matá-lo. Deus estava com Davi e não mais com ele, então Saul ficou com medo do poder de Deus sobre Davi.

ABRIL 14

Saul tem um plano

1 Samuel 18: 17 a 30

Saul então resolveu dar sua filha Mical para casar-se com Davi, e disse a ele: "Sirva-me com bravura e lute as batalhas do Senhor" mas o plano de Saul era que Davi acabasse morrendo na guerra. Porém Davi além de obedecer o rei Saul, ainda venceu os inimigos, e mais uma vez Saul pôde ver que Deus estava ao lado dele. Depois da guerra, Davi se casou com Mical, e se tornou ainda mais famoso entre o povo.

shutterstock.com/Tomacco

Jônatas defende seu amigo Davi

1 Samuel 19: 1 a 7

Apesar de tudo o que aconteceu Saul ainda sentia muito ciúmes de Davi e contou a Jônatas seu filho que queria matá-lo. Mas Jônatas era muito amigo de Davi e contou tudo a ele, e depois foi conversar com seu pai: "Pai, Davi não lhe fez nenhum mal, ao contrário, ele defendeu e lutou pelo povo de Israel, arriscando a própria vida. Não mate Davi sem motivo!". Saul ouviu seu filho e jurou que não mataria Davi.

shutterstock.com/Vector Tradition SM

Davi escolhe não matar Saul
1 Samuel 24: 1 a 22

Saul não conseguia conter o mal e a vontade de matar Davi que existia dentro dele, e voltou a persegui-lo, mandou três mil homens atrás dele. Enquanto estavam a procura de Davi entraram em uma caverna para descansar um pouco, mas Davi estava lá com seus soldados bem no fundo daquela caverna, e eles disseram a Davi: "Este é o dia que Deus disse que entregaria em suas mãos o seu inimigo para fazer o que quisesse com ele.". Davi naquele momento podia matar Saul, cortou um pedaço de seu manto sem que ele percebesse, então saiu da caverna chamou Saul e mostrou o pedaço que havia cortado, e disse que de modo algum faria mal ao escolhido de Deus, ele escolheu deixar Saul viver. Saul então se arrependeu de tudo o que fez, chorou em voz alta, e pediu para que Davi quando fosse rei poupasse sua vida e de sua família. Davi prometeu o que ele pediu.

shutterstock.com/Lorelyn Medina

A morte de Saul

1 Samuel 31: 1 a 13

O rei Saul e seu exército estavam em guerra contra os filisteus, mas dessa vez os filisteus estavam ganhando, mataram alguns dos filhos de Saul, inclusive Jônatas. Começaram a jogar flechas sobre Saul, e uma delas o atingiu e o feriu gravemente. Saul estava com medo de ser morto pelos filisteus então pediu a seu escudeiro que o matasse com sua espada, mas o escudeiro ficou com medo de matar o rei, então Saul pegou sua própria espada e tirou sua vida. O povo de Israel ao saber o que havia acontecido fugiu e os filisteus saíram vitoriosos daquela batalha.

O novo Rei de Israel

2 Samuel 2: 1 a 4 e 5: 1 a 25

Depois da morte de Saul, Davi foi para Hebrom morar com sua família, assim como Deus mandou. Representantes de todas as tribos de Israel foram ao encontro de Davi em Hebrom e o escolheram como rei de Israel, naquela época Davi tinha apenas 30 anos. Ele então conquistou a cidade de Jerusalém, e lá foi morar, depois disso ganhou uma batalha contra os filisteus. Nesse momento sua família também crescia, teve mais filhos e filhas.

shutterstock.com/ArtDesign Illustration

A arca da aliança é levada para Jerusalém

2 Samuel 6: 1 a 18

Depois de algum tempo Davi mandou seus guerreiros trazerem a arca da aliança para Jerusalém, onde agora ele morava. A arca da aliança era feita toda de ouro e era o lugar onde guardavam as tábuas dos mandamentos, e ela era muito importante, pois significava que Deus estava no meio do povo, então depois de trazerem, Davi ofereceu ofertas a Deus e abençoou o povo em nome do Senhor.

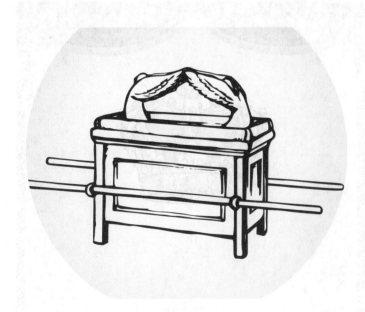

shutterstock.com/ArtMari

A promessa de Deus a Davi

2 Samuel 7: 1 a 17

Deus deu descanso de todos os inimigos de Israel, o queria dizer que não estava tendo guerra, estava tudo bem, porém Davi estava incomodado de morar num palácio tão grande e bonito enquanto a arca da aliança ficava em uma tenda. Então chamou o profeta Natã e contou sua preocupação para ele. Naquela mesma noite Deus falou com Natã: "Diga a Davi que Eu o tirei das pastagens onde cuidava das ovelhas, para ser rei de Israel, sempre estive com ele por onde andou e eliminei todos os seus inimigos. Quando morrer colocarei um de seus filhos para suceder o trono.". Então Natã contou tudo a Davi.

ABRIL 21

Davi e Mefibosete

2 Samuel 9: 1 a 13

Davi queria saber se alguém da família de Saul ainda estava vivo, pois queria mostrar sua lealdade com eles, então contaram que o filho de Jônatas estava vivo, ele não podia andar e se chamava Mefibosete. Então Davi mandou chamar ele, e quando ele chegou Davi disse: "Não tenha medo, pois o tratarei com bondade, você é filho de um dos meus melhores amigos, Jônatas. Vou devolver a você todas as terras que pertenciam a seu avô Saul, e você sempre poderá comer em minha casa.".

Davi desagrada a Deus

2 Samuel 11: 1 a 13

Davi sempre foi um homem segundo o coração de Deus, e Deus se agradava muito dele. Um dia seu exército estava em guerra, mas Davi havia ficado em Jerusalém. Ele estava passeando em seu palácio quando viu uma moça muito bonita, então disseram a ele que seu nome era Bete-Seba e que ela era esposa de um dos seus soldados, Urias. Na hora ele não pensou nas consequências e nem em Deus, e ficou com ela por aqueles dias em que os soldados estavam em guerra e Bete-Seba acabou engravidando de Davi. O problema é que ela era casada, e Davi não poderia ter feito isso, ele não pensou em Deus, e acabou o magoando muito.

freepik.com

Urias morre na batalha

2 Samuel 11: 14 a 27

shutterstock.com/Alexander Smulskiy

Além de Davi ter cometido esse grave erro, ele ficou inseguro quando Urias, o marido de Bete-Seba descobrisse tudo, então mandou uma carta a Joabe, responsável por seu exército, dizendo que era para colocar Urias na parte mais violenta do combate, para que assim quando os atacassem, Urias morresse. Joabe fez o que Davi mandou, e Urias acabou morrendo. Quando a noticia chegou para Davi e Bete-Seba, ela chorou, mas depois de alguns dias Davi a chamou para ser sua esposa, morar em seu palácio e criarem seu filho. Davi não agradou Deus com suas atitudes, e sabia que Deus estava triste com ele.

ABRIL 24

Deus manda um recado por Natã

2 Samuel 12: 1 a 24

O profeta Natã foi até Davi e disse: "Dois homens viviam em uma cidade, um era rico e possuía muitas ovelhas e bois, o outro era pobre e só tinha uma ovelinha, que ele criou com carinho, ela comia e bebia junto com ele, e até dormia em seus braços, era como uma filha para ele. Um dia um viajante foi na casa do rico, e ao invés de pegar uma de suas ovelhas ou boi para alimentá-lo, roubou a ovelhinha do pobre e preparou ela como jantar para o viajante" Davi ao ouvir isso, ficou muito bravo e disse que aquele homem deveria morrer. Então Natã disse que aquele homem era ele, e ainda disse: "Deus mandou dizer a você que Ele te ungiu rei de Israel, te livrou da mãos de Saul, lhe deu uma família, e ainda assim você o deixou triste, por ter ficado com Bete-Seba e ainda planejado a morte de seu marido.". Davi sabia que havia pecado contra Deus e ficou muito triste. Natã ainda falou: "Deus já o perdoou, porém você e sua família passarão por sofrimentos, e seu filho com Bete-Seba não sobreviverá". Depois de um tempo Bete-Seba engravidou novamente e eles tiveram um filho, chamado Salomão.

Os filhos de Davi

2 Samuel 13: 1 a 14, 23 a 38 e 15: 1 a 16

Davi tinha vários filhos, um deles se chamava Amnon, ele tinha um irmão de outra mãe que também era irmão de Tamar, que se chamava Absalão. Amnon fez um coisa feia e ficou com Tamar contra sua vontade, quando Absalão ficou sabendo resolveu matá-lo. Davi seu pai, ficou muito triste com atitude de Amnon, mas também muito magoado com Absalão e ficou sem falar com ele por vários anos, Davi sabia que aquilo que Deus havia falado para ele estava se cumprindo. Depois de um tempo Absalão queria se tornar rei no lugar de seu pai, ele era muito elogiado por sua beleza. Então toda vez que alguém do povo precisava resolver um problema, eles os ajudava, e assim foi conquistando todo o povo. Absalão então foi para Hebrom, e mandou dizer a todos que era o novo rei. Ele ganhou muita força ao virar rei, e quando Davi ficou sabendo, resolveu fugir com todo seu povo, pois não queria que ninguém de Jerusalém sofresse, caso seu filho Absalão invadisse a cidade.

shutterstock.com/Volha Shaukavets

Absalão é morto

2 Samuel 18: 1 a 14

Por mais que Davi quisesse impedir a guerra entre seu exército e o exército de Absalão, não foi possível, Davi porém não queria que matassem seu filho. A batalha acabou acontecendo em Efraim, e mais de vinte mil pessoas morreram, mas o exército de Davi estava ganhando. Absalão montado em sua mula passou em baixo de uma árvore cheia de galhos e acabou ficando preso. Quando Joabe, responsável pelo exército de Davi e alguns soldados o viram, não respeitaram o desejo de seu rei e mataram Absalão.

A tristeza de Davi

2 Samuel 18: 19 a 33

Davi então recebeu a mensagem de que seu exército havia ganhado do exército de Absalão, porém ele havia sido morto. Davi ficou muito triste e chorou bastante, sabia que se pudesse, teria morrido no lugar dele, mesmo Absalão perseguindo ele e seu povo, Davi o amava muito. E a vitória de Davi acabou se tornando em grande tristeza pelo seu filho.

shutterstock.com/studiolaut

A contagem do povo

2 Samuel 24: 1 a 10

Um dia Davi disse a Joabe e aos outros comandantes do exército que fossem por todas as tribos de Israel. de Dã e Berseba e contassem quantas pessoas havia entre o povo, ele queria saber quantos eram no total. Depois de nove meses e vinte dias eles voltaram, haviam percorrido todos os lugares e contaram oitocentos mil homens habilitados para o serviço militar e mais quinhentos mil em Judá. Davi ao ouvir ficou muito triste pois sabia que havia desagradado a Deus, ele tinha feito a contagem para saber o quanto conquistou com suas próprias mãos e para o saber o tamanho de seu poder, ao invés disso, deveria ter feito a contagem com o objetivo de agradecer a Deus pelo número de pessoas que Ele lhe deu para cuidar e governar.

ABRIL 29

A punição

2 Samuel 24: 11 a 17

Deus realmente ficou muito triste, e deu três opções de punição a Davi por meio do profeta Gade: três anos de fome, três meses de perseguição de seus inimigos, ou uma doença grave em sua terra por três dias. Davi escolheu uma doença grave sobre a terra, e setenta mil pessoas morreram. Davi viu que seu povo sofria por sua causa, então pediu a Deus que o castigo caísse sobre ele e sua família, e não mais sobre o povo.

freepik.com

Davi constrói um altar

2 Samuel 24: 18 a 25

Naquele mesmo dia o profeta Gade foi dizer a Davi para fazer um altar ao Senhor no campo de Araúna, o jebuseu. Quando Araúna viu o rei ajoelhou-se diante dele perguntou o que ele precisava e Davi respondeu: "Gostaria de comprar o seu campo e construir um altar para o Senhor" e Araúna respondeu: "Ó rei, eu dou tudo isso a ti, que o Senhor aceite sua oferta.". Davi então fez um altar com ofertas e sacrifícios para Deus, e o Senhor então tirou a grave doença que havia caído sobre o povo.

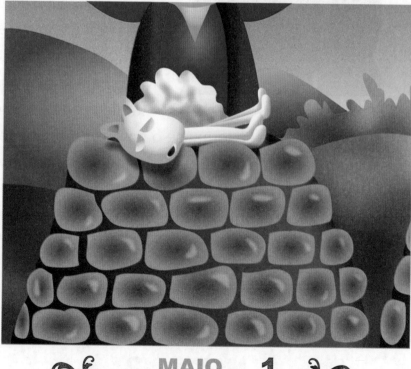

shutterstock.com/Dawn Hudson

MAIO 1

Adonias quer ser o novo rei

1 Reis 1: 5 a 10

Davi já estava ficando velho e seu filho Adonias queria ser o novo rei. Ele tinha boa aparência e tinha nascido depois de seu irmão Absalão. Muitas pessoas davam apoio a ele, porém o profeta Natã, Benaia e outros amigos de Davi não queriam que ele se tornasse o novo rei. Adonias fez ofertas ao Senhor, e convidou todos os seus irmãos, e todos os homens de Judá que eram conselheiros do rei, mas não convidou o profeta Natã, Benaia, e um de seus irmãos, Salomão.

shutterstock.com/Meilun

Bete-Seba fala com Davi

1 Reis 1: 11 a 30

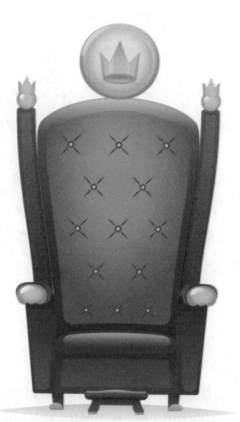

shutterstock.com/Studio_G

Quando Bete-Seba, mãe de Salomão ficou sabendo que Adonias já se achava o novo rei, logo foi falar com Davi, pois a promessa era para que Salomão fosse o sucessor. Então Davi disse a ela: "Juro pelo Senhor, o qual me livrou de todas as dificuldades, que sem dúvida, hoje mesmo vou executar o que jurei por Ele, o Deus de Israel. O meu filho Salomão me sucederá como rei e irá sentar no meu trono em meu lugar.".

Salomão é ungido o novo rei

1 Reis 1: 32 a 40

Davi então manda levarem Salomão para Giom. Ao chegarem lá, o profeta Natã e o sacerdote Sadoque ungiram Salomão como novo rei de Israel, então as trombetas tocaram e todos gritaram: "Viva ao rei Salomão!!". Todos estavam muito felizes.

A morte de Davi

1 Reis 2: 1 a 11

Quando Davi estava bem próximo de morrer chamou Salomão e deu algumas instruções para ele: "Seja forte, obedeça ao Senhor, guarde sua palavra, assim como foi escrito na lei de Moisés, e você irá ser bom em tudo o que fizer e por onde for, e o Senhor manterá a promessa que fez a mim, de que se meus descendentes cuidarem de suas atitudes e se seguirem o Senhor fielmente de todo o coração e de toda alma, o trono jamais ficará sem alguém de nossa família.". Depois disso Davi morreu, seu reinado em Israel durou quarenta anos.

freepik.com

Salomão pede sabedoria

1 Reis 3: 1 a 15

shutterstock.com/Kat Buslaeva

Salomão aliou-se ao faraó, rei do Egito, e casou-se com a filha dele. Salomão amava muito Deus e estava seguindo as leis conforme seu pai havia falado. Um dia enquanto dormia, o Senhor apareceu em sonho para ele e disse: "Peça-me o que quiser." então Salomão respondeu: "Eu não passo de um jovem e não sei o que fazer ou como governar, me dá pois um coração cheio de entendimento e sabedoria para governar seu povo e saber diferenciar o bem do mal.". Deus ficou contente com o pedido de Salomão, pois ele não pediu nem dinheiro, nem morte aos inimigos, mas somente sabedoria, no entanto, além disso, o Senhor também deu a ele riqueza e fama, e disse que ninguém seria igual a ele se continuasse nos caminhos do Senhor. Ao acordar Salomão ofereceu ofertas ao Senhor.

Uma decisão sábia

1 Reis 3: 16 a 28

Um dia duas mulheres chegaram diante do rei, elas moravam juntas, as duas engravidaram e tiveram seus bebês, porém um dos bebês acabou morrendo, e a outra pegou o bebê que estava vivo. Mas não tinha como saber qual das duas era a mãe e falava a verdade, então Salomão pediu pra que dividissem a criança no meio, ficaria uma parte para cada mulher. Então uma delas gritou: "Não! Por favor meu senhor, dê a criança viva a ela, não a mate!". Então Salomão viu que essa era a mãe verdadeira, pois preferia não ter seu filho do que ver ele morrer. Ele tomou uma sábia decisão e deu a criança para mãe, e o povo de Israel o respeitou ainda mais.

A construção do templo

1 Reis 6: 1 a 13

Depois de quatro anos de reinado de Salomão, ele começou a construir o templo do Senhor. Era um templo bem grande, e enquanto estava construindo, o Senhor disse: "Quanto a esse templo que esta construindo, se você seguir e obedecer os meus mandamentos, cumprirei através da sua vida o que prometi a seu pai: viverei no meio dos israelitas e não abandonarei o povo.".

freepik.com

O Senhor fala com Salomão

1 Reis 9: 1 a 9

Depois de construir o templo, Salomão também construiu um palácio para que ele morasse, e enquanto ele construía Deus falou com Salomão pela segunda vez: "Ouvi sua oração, e abençoarei esse templo que construiu e que nele habite meu nome para sempre, e se você andar segundo a minha vontade, como fez seu pai Davi, firmarei para sempre sobre Israel o seu trono. Porém se você ou um de seus filhos se afastarem de mim, não me obedecerem e adorarem outros deuses, não permanecerei com vocês."

A rainha de Sabá visita Salomão

1 Reis 10: 1 a 13

A rainha de Sabá soube da fama de Salomão que tinha alcançado graças ao Senhor, e foi a Jerusalém encontrá-lo para fazer perguntas difíceis, que ninguém mais conseguia responder. Salomão no entanto respondeu a todas, nenhuma foi difícil demais para que ele não respondesse. A rainha vendo toda a sabedoria de Salomão e tudo o que ele havia conquistado e construído ficou impressionada e disse: "Eu não acreditava no que diziam sobre você, mas é verdade, bendito seja o Senhor teu Deus, que se agradou de ti e o colocou no trono de Israel.". Então ela deu muitos presentes para Salomão, e em troca, ele deu a ela tudo o que desejava por sua generosidade.

freepik.com

Salomão entristece o coração de Deus

1 Reis 11: 1 a 12

freepik.com

Salomão amou muitas mulheres além da filha de faraó, cada uma delas era de uma nação diferente e com isso elas fizeram com que Salomão se desviasse dos caminhos do Senhor, conforme ele foi envelhecendo, começou a adorar outros deuses, ele não seguia mais o Senhor como seguiu seu pai Davi. E isso deixou Deus muito triste com Salomão, pois ele não obedeceu os mandamentos do Senhor.

Jeroboão assume dez tribos

1 Reis 11: 26 a 39

Jeroboão, um dos oficiais de Salomão ficou muito bravo ao saber que o rei estava adorando outros deuses e um dia enquanto estava caminhando encontrou com o profeta Aías, que estava usando uma capa nova. Aías pegou a capa, rasgou em doze pedaços e disse: "Pegue dez pedaços para você, assim diz o Senhor, ele vai tirar o reino das mãos de Salomão, e por amor a Davi deixará duas tribos com ele, e isso acontecerá porque Salomão não andou pelos caminhos de Deus, sendo assim você irá governar sobre essas dez tribos.".

A morte de Salomão

1 Reis 11: 40 a 43

Quando Salomão ficou sabendo sobre Jeroboão tentou matá-lo, então ele se escondeu até que o rei morresse, pois sabia que ele já estava bem velho. E Salomão acabou morrendo, ele reinou em Jerusalém sobre todo Israel durante quarenta anos. Depois disso, seu filho Roboão assumiu seu trono, e Jeroboão pôde voltar para a cidade.

freepik.com

A separação das tribos

1 Reis 12: 1 a 20

Depois que Roboão se tornou rei, Jeroboão e todo o povo foram até ele pedir para que fosse um bom rei. Então ele pediu três dias para dar uma resposta. Roboão então perguntou para os conselheiros que haviam trabalhado para o seu pai o que devia fazer, e todos responderam que ele tinha que servir ao povo. Mas Roboão não seguiu os conselhos deles, ao invés disso, foi se aconselhar com jovens amigos com quem tinha crescido, eles disseram a Roboão que deveria tratar o povo de forma dura e com castigos. Passados os três dias ele disse ao povo: "Meu pai fez vocês carregarem cargas pesadas, eu o tornarei ainda mais pesado!". E a palavra de Deus se cumpriu, pois o povo estava cansado daquilo e foi seguir Jeroboão, e as dez tribos fizeram dele o novo rei. Roboão ficou responsável apenas por Judá.

shutterstock.com/KimsCreativeHub

O reinado de Abias
e Asa em Judá

1 Reis 15: 1 a 24

Após o reinado de Roboão, Abias seu filho, assumiu o trono em Judá, porém Abias era como seu pai e não agradava a Deus, não obedecia seus mandamentos e não era fiel ao Senhor. Mas como Deus havia feito uma promessa Davi, permitiu que Abias tivesse um filho, que se chamou Asa para governar Judá. Asa agradava muito ao Senhor, ele expulsou todos aqueles que adoravam a outros deuses e mandou tirar todos os altares que fizeram para eles. O Senhor ficou feliz pois ele seguia os seus caminhos.

freepik.com

Acabe, rei de Israel

1 Reis 16: 29 a 34

Enquanto Asa governava Judá, as outras tribos de Israel após a morte de Jeroboão foram assumidas por Acabe, que se tornou o novo rei de Israel. Porém Acabe fez tudo o que Deus reprovava, mais do que qualquer outro havia feito. Ele se casou com uma moça que se chamava Jezabel, e juntos eles adoraram um deus que se chamava Baal, e fizeram um altar para ele. Deus se entristeceu muito, pois eles não obedeciam seus mandamentos.

O profeta Elias

1 Reis 17: 1 a 6

Na época em que Acabe era rei, houve um grande profeta que se chamava Elias, Deus falou para ele avisar o rei que não iria cair uma gota de chuva em toda a Israel, e durante anos haveria seca. Depois disso Deus mandou Elias ir para o leste de Jordão se esconder, pois lá no riacho ele teria de beber e os corvos lhe trariam pão e carne, de manhã e a tarde.

A viúva e Elias

1 Reis 17: 7 a 24

Depois que o riacho secou por falta de chuva, Deus mandou Elias ir para Sarepta, e disse que lá haveria uma viúva que poderia lhe dar de comer. Porém ao chegar lá, por conta da seca a viúva só tinha um pouco de farinha e azeite para ela e seu filho que estava doente. Elias então falou para que ela não tivesse medo, pois o Senhor disse: "A farinha na vasilha não se acabará e o azeite do pote não ira secar até que a chuva volte a cair sobre Israel." E foi o que aconteceu, a farinha e o azeite não acabaram e eles puderam se alimentar, porém depois de um tempo o filho da viúva que estava doente morreu, ela achou que tivesse feito algo de errado, Elias então orou a Deus e o menino voltou a viver, a mulher muito feliz disse a ele: "Agora sei que você é um homem de Deus e que a palavra do Senhor que sai da sua boca é verdade."

MAIO 18

Elias no monte Carmelo

1 Reis 18: 16 a 39

Elias foi ao encontro do rei Acabe, e pediu para que reunisse todo o povo de Israel no monte Carmelo, pediu também para que trouxesse todos os profetas adoradores de outros deuses, inclusive o

shutterstock.com/GraphicsRF

deus Baal. Acabe então convocou todo o povo e Elias disse a todos: "Até quando vocês vão ficar de um lado para outro? Se o Senhor é Deus então sigam ele, mas se creem que Baal é o deus de vocês sigam ele. Eu sou o único profeta do Senhor, Baal tem quatrocentos e cinquenta.". Então mandou trazerem dois cordeirinhos para fazer uma oferta, mas pediu para não colocarem fogo em nenhum deles, e disse: "Vocês invocarão o deus de vocês e eu o meu, e o deus que responder com o fogo é o verdadeiro Deus!". Os profetas de Baal ficaram a manhã inteira tentando, e o fogo não apareceu, mas quando Elias clamou a Deus, o fogo acendeu. E todos puderam ver a glória e o poder do Senhor.

A chuva volta a cair sobre Israel

1 Reis 18: 43 a 45

Depois que todos viram o poder de Deus, Elias foi com seu servo para uma outra parte do monte Carmelo, e mandou ele olhar em direção ao mar. O servo olhou mas não viu nada, então ele pediu para que olhasse novamente, ao todo pediu para ele olhar sete vezes, até que o servo conseguiu ver uma nuvem pequena ao fundo. Elias então falou para ele que era a chuva que estava voltando para a terra de Israel.

A fuga de Elias

1 Reis 19: 1 a 18

Jezabel, esposa de do rei Acabe ficou muito brava ao saber tudo o que Elias havia feito, muitas pessoas já não acreditavam no deus Baal, então ela resolveu ir atrás de Elias para matá-lo. Elias ao saber, fugiu com medo, e se escondeu em uma caverna, então orou a Deus: "Tenho sido cuidadoso Senhor, tenho feito tua vontade e andado nos teus caminhos, mas agora querem me matar." então Deus respondeu: "Vá para o deserto de Damasco, unja Hazael como rei da Síria, Jeú como rei de Israel, e unja também Eliseu para suceder você como profeta, pois em Israel ainda há sete mil pessoas que não adoraram a Baal.".

O chamado de Eliseu
1 Reis 19: 19 a 30

Elias então foi ao encontro de Eliseu, ele estava cuidando dos animais no campo, quando Elias chegou, jogou sua capa sobre ele, então Eliseu entendeu que seria o novo profeta, deixou tudo o que estava fazendo, despediu-se de seu pai e sua mãe e correu ao encontro de Elias.

A plantação de uvas de Nabote

1 Reis 21: 1 a 16

Nabote era um homem que tinha uma plantação de uvas bem perto do palácio do rei Acabe, o rei no entanto queria aquela plantação para ele, mas Nabote não queria vender, pois seu pai havia deixado como herança para ele. Ao saber disso, a esposa do rei, Jezabel fez um plano para que incriminassem Nebote por uma mentira, dizendo que ele havia falado mal do rei e de Deus, e que deveria ser morto. Como ela tinha muito poder, conseguiu o que queria, Nabote foi morto e Acabe conseguiu a plantação de uvas para lhe fazer feliz.

Elias vai ao encontro de Acabe

1 Reis 21: 17 a 29

Depois disso, Deus falou com Elias pedindo para que se encontrasse com o rei Acabe e dissesse a ele e sua esposa que o que fizeram com Nabote foi terrível, que o Senhor ficou muito chateado, e por causa disso ele e toda a sua descendência sofreriam. Ao ouvir isso Acabe chora, rasga suas roupas e se arrepende de todos o mal que havia feito.

shutterstock.com/Malchev

MAIO 24

A morte de Acabe

1 Reis 22: 29 a 40

Israel estava em guerra contra a Síria, e o rei Acabe, se disfarçou de soldado e também foi para o combate. No meio da guerra, um dos soldados da Síria disparou uma flecha que acertou em cheio o rei Acabe, ele pediu para que o tirassem de lá, mas acabou não sobrevivendo aos ferimentos.

shutterstock.com/Vertyr

MAIO 25

As águas do rio Jordão se dividem

2 Reis 2: 1 a 9

Elias e Eliseu foram para Betel, ao chegarem lá os profetas falaram para Eliseu que Elias seria levado para os céus. Depois de um tempo Elias disse que precisava ir para o rio Jordão, mas Eliseu não o deixou ir sozinho e foi com ele, ao chegarem na frente do rio, Elias tirou o manto, enrolou-o e com ele bateu nas águas, e elas se dividiram para que eles pudessem passar. Depois de atravessarem, Elias perguntou a Eliseu o que ele poderia fazer antes que eles fossem separados, e ele respondeu que gostaria de ser o herdeiro do espírito de profecia de Elias, e Eliseu respondeu que se visse ele subindo ao céus então seu pedido seria atendido.

Elias é levado aos céus

2 Reis 2: 10 a 18

Enquanto Elias e Eliseu conversavam, apareceu um carro de fogo puxado por cavalos de fogo que os separou, e Elias foi levado aos céus. Eliseu pegou o manto de Elias que havia caído, bateu nas águas para que se abrissem e passou para o outro lado, ao chegar lá os profetas disseram a Eliseu que o espírito de profecia de Elias agora estava com ele.

shutterstock.com/Sky vectors

A purificação das águas

2 Reis 2: 19 a 22

Um dia, chegaram alguns homens até Eliseu e disseram que a cidade que estava era muito boa e tinha uma excelente localização, porém as águas dela estavam estragadas e por causa disso eles não conseguiam plantar nada nela. Então Eliseu disse para que colocassem sal em uma tigela e levassem para ele, então falou: "Assim diz o Senhor, purifiquei essa água, ela não causará mais mortes nem deixará a terra sem produzir.". E a água da cidade ficou pura.

shutterstock.com/Yuran1

O milagre dos pães

2 Reis 4: 42 a 44

Veio um homem de Baal-Salisa, trazendo ao homem de Deus vinte pães, então Eliseu ordenou ao seu servo: "Sirva a todos!" e o auxiliar de Eliseu perguntou: "Mas como vou servir só isso para cem homens?" Eliseu insistiu para que ele servisse, e falou: "Assim diz o Senhor: eles comerão e ainda sobrará." E após servir a todos, ainda sobraram pães assim como disse Eliseu.

A cura da doença de pele de Naamã

2 Reis 5: 1 a 19

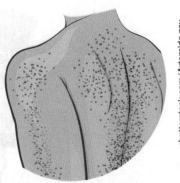

Naamã, era um importante oficial do exército do rei da Síria, só que ele tinha uma doença de pele muito grave. Então o rei da Síria mandou uma carta ao rei de Israel pedindo ajuda para que Eliseu curasse seu oficial. Ao saber disso, Eliseu pediu para que trouxessem Naamã, quando ele chegou na porta da casa do profeta, Eliseu mandou uma mensagem para ele se lavar sete vezes no rio Jordão para que fosse curado. Naamã ficou sem entender porque Eliseu não saiu para falar com ele, tinha imaginado que Eliseu clamaria ao nome do Senhor para que ele fosse curado, mas os servos disseram a ele para ouvir o profeta. Então foi e se lavou sete vezes no rio e foi curado. Naamã ficou muito feliz e pôde ver o poder de Deus através da vida de Eliseu.

Eliseu faz flutuar um machado

2 Reis 6: 1 a 7

O lugar em que Eliseu se reunia com os discípulos dos profetas já estava muito pequeno para todos eles. Então decidiram ir até o rio Jordão e pegar alguns troncos para construir um novo lugar. Eliseu foi junto com eles, enquanto estavam cortando os troncos, o ferro do machado caiu na água, e o discípulo que deixou cair gritou: "Ah, meu senhor, era emprestado!". Ao ver o que aconteceu, Eliseu pegou um galho e jogou onde havia caído o ferro, então o machado começou a flutuar, e Eliseu disse: "Pegue o ferro" o homem esticou o braço e pegou.

O reinado de Joás
2 Reis 12: 1 a 12

No sétimo ano de reinado de Jeú sobre Israel, Joás começou a reinar, e ele reinou durante quarenta anos em Jerusalém. Joás agradava muito ao Senhor em tudo o que fazia, no entanto, o povo continuava adorando a outros deuses. Um dia Joás mandou os sacerdotes recolherem toda a prata que o povo quisesse dar voluntariamente com alegria, pois assim poderiam fazer as reformas que precisavam no templo do Senhor, e foi isso o que fizeram, com a prata arrecadada puderam pagar o material e todos os homens envolvidos na reforma. Depois de Joás, tiveram muitos reis em Israel, e a história de todos eles se encontra no livro de Reis na bíblia.

JUNHO 1

A morte do profeta Eliseu

Êxodo 18: 13 a 27

shutterstock.com/VikiVector

Depois de muitos anos o profeta Eliseu ficou muito doente e acabou morrendo. No dia do seu enterro todos ficaram muito tristes. Passado algum tempo um outro homem morreu e foi colocado na mesma sepultura em que os ossos do Eliseu estavam, e assim que o corpo do homem encostou nos ossos de Eliseu, o homem ressuscitou. E por uma última vez Deus agiu através de Eliseu, trazendo aquele homem que estava morto a vida.

JUNHO 2

Josias renova a aliança

2 Reis 22: 1 e 23: 1 a 3

Josias tinha oito anos quando começou a reinar, e ele reinou durante trinta e um anos em Jerusalém, ele agradava muito a Deus, pois obedecia todos os seus mandamentos. Reformou a casa do Senhor e um dia reuniu todas as autoridades de Judá e Jerusalém, então subiu ao templo de Deus, junto com os sacerdotes, profetas e também todo o povo. Lá ele leu as palavras do livro da aliança, que era a palavra de Deus, ele prometeu obedecer ao Senhor de todo o seu coração e ser sempre fiel a Ele. Josias pediu ao povo que fizessem o mesmo e então todo o povo se comprometeu com a palavra do Senhor.

JUNHO 3

Josias se mantém fiel a Deus

2 Reis 23: 4 a 14

O povo tinha dificuldades em obedecer e adorar somente ao Senhor, por isso, Josias mandou derrubar todos os altares para outros deuses, também eliminou do seu reinado todos os sacerdotes que não eram fiéis a Deus, retirou do templo tudo o que não agradasse a Deus e queimou todos os utensílios feitos ao deus Baal. Josias fez tudo o que podia para agradar ao Senhor e manter-se fiel a Ele.

JUNHO 4

Nabucodonosor cerca Jerusalém

2 Reis 24: 8 a 17

Nabucodonosor era rei da Babilônia, um dia ele e seus oficiais do exército cercaram Jerusalém. Na época, o rei de Jerusalém era Joaquim, ele, seus conselheiros, oficiais e nobres se renderam e foram levados como prisioneiros, e apenas o povo mais pobre ficou na cidade. Nabucodonosor também levou todo os tesouros do templo do Senhor, e no lugar de Joaquim, colocou seu tio Zedequias para reinar sobre Jerusalém.

shutterstock.com/askib

A queda de Jerusalém

2 Reis 25: 1 a 21

freepik.com

Passado um tempo o tio de Nabucodonosor, Zedequias, que era o rei de Jerusalém, se revoltou contra ele. Então Nabucodonosor, rei da Babilônia resolveu cercar Jerusalém novamente, depois de algum tempo o povo já nem tinha mais o que comer, pois a cidade estava cercada por todos os lados. Nabucodonosor decidiu que era hora de invadir Jerusalém, eles destruíram o muro da cidade, o templo do Senhor foi queimado, e o povo que não morreu com a invasão foi levado como escravos para Babilônia.

A palavra do Senhor se cumpre mais uma vez

2 Crônicas 36: 22 a 23

A Babilônia depois de algum tempo foi dominada pela Pérsia, e o rei da Pérsia se chamava Ciro. O profeta Jeremias havia falado que um dia Ciro libertaria o povo de Israel, e assim a palavra do Senhor se cumpriu. Deus tocou o coração de Ciro, e mandou dizer ao povo: "Deus me deu todos os reinos da terra e pediu para que eu construísse um templo na terra de Judá, quem de vocês pertencer ao seu povo vá para Jerusalém, e que o Senhor, o seu Deus esteja com vocês."

shutterstock.com/askib

A reconstrução do altar

Esdras 3: 1 a 7

Depois que o povo pôde voltar para Jerusalém, Deus colocou no coração de Ciro o desejo de reconstruir o templo do Senhor que havia sido destruído, então deram dinheiro aos pedreiros e carpinteiros, e comida e bebida para o povo de Sidom e de Tiro, para que pelo mar trouxessem madeira para a construção. E todo povo louvou em voz alta ao Senhor pelo o que estava acontecendo.

Os inimigos são contra a obra

Esdras 4: 1 a 24

Quando os inimigos de Judá souberam que o povo tinha voltado e que juntos com Ciro estavam reconstruindo o templo do Senhor, foram desanimar o povo, eles não gostavam do Senhor e nem do que estava acontecendo, mas não sabiam que se o templo fosse reconstruído e a cidade restaurada aquele povo ficaria muito forte, pois Deus estava com eles. Porém naquele momento os inimigos de Judá deram um jeito de conseguir interromper as obras.

Dário autoriza a reconstrução

Esdras 6: 13 a 16

Passado algum tempo, Dário foi nomeado o novo rei da Pérsia, e a obra foi autorizada por ele, assim o povo pôde continuar com a construção. Depois de seis anos o templo estava pronto. Todos celebraram com muita alegria e dedicação, e fizeram várias ofertas ao Senhor.

A história de Neemias

Neemias 2: 1 a 10

Alguns anos se passaram e Artaxerxes era o novo rei da Pérsia, Neemias era o copeiro dele. Um dia o rei viu que seu rosto estava muito triste, Neemias então explicou para ele que estava chateado pois a cidade de Jerusalém, onde seus pais haviam sido enterrados ainda não estava totalmente reconstruída. O rei permitiu que ele fosse para sua cidade e ajudasse a reconstruí-la, e Neemias seguiu pra Jerusalém.

JUNHO 11

Neemias em Jerusalém

Neemias 2: 11 a 20

   Neemias havia sido incomodado por Deus para que ajudasse a reconstruir Jerusalém, quando chegou lá, olhou toda a cidade, viu o que ainda faltava ser feito e convocou todo o povo para dizer que iriam recomeçar a construção, e que Deus estava com eles. Então todos começaram a trabalhar.

O término da reconstrução

Neemias 6: 15 a 19 e 7: 1 a 3

Depois de algum tempo os muros da cidade ficaram prontos, os inimigos ficaram com medo, pois viram que a obra havia sido feita com a ajuda do Senhor, assim como os muros, as portas também foram colocadas no lugar, e foram contratados porteiros para tomar conta de quem entrava e saía. Naquela época, Neemias passou a governar Jerusalém.

A leitura da lei ao povo

Neemias 8: 1 a 12

Esdras foi um dos homens que liderou a volta do povo para Jerusalém, ele era sacerdote e escriba, estudava a palavra de Deus e também lia para o povo. Um dia, juntou todo a cidade e leu as leis de Moisés que o Senhor deu a Israel. Esdras louvou a Deus, e todo o povo ergueu as mãos e adorou ao Senhor.

shutterstock.com/askib

A rainha Vasti afronta o rei

Ester 1: 1 a 22

Passado um tempo, Xerxes se tornou o novo rei da Pérsia, um dia resolveu dar um banquete para todos os seus nobres e oficiais, no meio do banquete resolveu chamar sua rainha Vasti, ele a achava muito bonita e queria mostrar ela a todos. Porém a rainha Vasti não o obedeceu, ela não quis ir até ele. O rei Xerxes ficou muito bravo, e pediu conselhos aos sábios de seu reino, e então tomou a decisão de expulsá-la de lá, e nunca mais vê-la. Logo depois disso ele já começou a procurar uma nova rainha.

freepik.com

A coroação da rainha Ester

Ester 2: 1 a 20

Os conselheiros do rei Xerxes sugeriram a ele para que procurasse uma nova rainha, e várias mulheres foram até o palácio para que ele pudesse escolher. A moça escolhida era conhecida como Ester, ela era uma das mulheres mais lindas que o rei já havia visto, ela era órfã de pai e mãe e havia sido criada por seu tio Mardoqueu. Ester e Mardoqueu eram judeus, mas ele pediu a ela que não contasse sobre sua descendência ao rei.

Mardoqueu descobre um plano contra o rei

Ester 2: 21 a 23

Um dia Mardoqueu estava sentado junto a porta do palácio real, e ouviu dois oficiais do rei planejando a morte dele, Mardoqueu foi correndo contar sobre o plano maldoso para sua sobrinha Ester, que logo contou para o rei. Quando o rei Xerxes descobriu sobre a armadilha que seus oficiais estavam tramando contra sua vida mandou enforcá-los.

shutterstock.com/VikiVector

JUNHO 17

O plano de Hamã contra os judeus

Ester 3: 1 a 15

Um dia o rei Xerxes decidiu colocar um homem chamado Hamã em uma posição mais elevada do que todos os demais nobres, todos os oficias do palácio real tinham que se curvar diante dele. Porém Mardoqueu adorava somente a Deus e negou-se a curvar perante a ele. Hamã ficou muito bravo, e ao saber que Mardoqueu era judeu, mandou matar a ele e todos os outros judeus.

O pedido de Mardoqueu a Ester

Ester 4: 1 a 17

Ester ao saber que o rei Xerxes havia aprovado o pedido de Hamã de matar todos os judeus foi pedir a um dos empregados para que trouxesse notícias de seu tio Mardoqueu. O empregado voltou dizendo que seu tio havia pedido a ela, que fosse diante do rei solicitar para que voltasse atrás em sua decisão, pois o povo que iriam matar, era o seu povo.

O pedido de Ester ao rei

Ester 5: 1 a 14 e 7: 1 a 10

Ester preparou um banquete e chamou o rei Xerxes e Hamã para contar seu segredo, o rei havia falado para ela que poderia pedir o que quisesse que ele a atenderia, nesse momento Ester contou toda a verdade sobre sua descendência ao rei, disse que era judia, e pediu para que ele poupasse a vida dela e de todo o seu povo. Xerxes ao saber que Hamã queria fazer mal ao povo de sua rainha mandou enforcá-lo.

A comemoração de Purim

Ester 9: 16 a 32

Mardoqueu, Ester e todos os outros judeus ficaram muito felizes, pois venceram seu inimigo, Deus estava ao lado deles e permitiu que o rei Xerxes os ajudasse. Aquele dia de vitória ficou conhecido como Purim, que significava sorte, Hamã quis fazer o mal contra eles mas não conseguiu, por isso festejaram com alegria e adoraram o Senhor.

shutterstock.com/Dawn Hudson

A história de Jó

Jó 1: 1 a 5

Em Uz, vivia um homem chamado Jó, ele era um homem integro e justo, temia a Deus e evitava fazer o mal. Jó era casado, tinha sete filhos e três filhas, tinha muitas ovelhas, bois, camelos e jumentos, além disso tinha muitas pessoas que trabalhavam para ele, Jó era o homem mais rico do oriente e temia e amava muito a Deus e sua família.

A primeira provação de Jó

Jó 1: 6 a 22

Um dia o inimigo de Deus ficou incomodado com Jó, e disse ao Senhor que ele só o adorava porque tinha tudo, família, saúde e riquezas. Mas Deus conhecia o coração de Jó e sabia que não era verdade, ele o amava de todo coração, por isso, permitiu que o inimigo atacasse a vida de Jó. Então, certo dia, um mensageiro foi correndo contar a Jó que homens maus mataram todos os seus empregados, enquanto ele contava chegou outro mensageiro contando a Jó que o fogo havia queimado todas as suas ovelhas, e o restante de seus animais haviam sido roubados. Logo chegou mais um mensageiro dizendo que um vento muito forte fez sua casa desabar matando todos os seus filhos. Jó ficou arrasado e chorou muito, mas não culpou a Deus de coisa alguma.

A segunda provação de Jó

Jó 2: 1 a 10

Jó estava muito triste, mas continuava amando Deus. Então o inimigo atacou novamente, dessa vez foi na saúde de Jó, ele ficou cheio de feridas dos pés ao alto da cabeça. Sua mulher ao vê-lo disse: "Como pode ainda amar esse Deus? Amaldiçoe Deus e morra!" mas Jó sabia que passava por uma provação, sabia que todos estão sujeitos a passar por coisas boas e ruins na vida, mas isso não mudava o quanto Deus o amava.

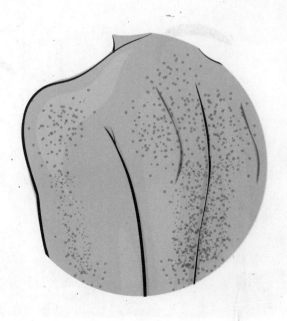

shutterstock.com/Scio21

Deus abençoou Jó

Jó 42: 10 a 17

Jó não parou de orar, e Deus se alegrou muito da atitude dele, por isso não permitiu mais que o inimigo atacasse a sua vida. O Senhor deu em dobro tudo o que ele tinha antes, teve muitos animais, teve outros filhos e filhas, e refez sua vida. Jó viveu cento e quarenta anos e pôde ver seus descendentes até a quarta geração.

freepik.com

O livro de Salmos

Salmos 1: 1 a 6

O livro de Salmos na bíblia são cânticos ou orações feitas em forma de poesia, no total são cento e cinquenta salmos. Davi, foi o principal autor desse livro, e no primeiro capítulo ele diz: "Como é feliz aquele que não segue os conselhos dos maus, ao contrário, sua satisfação está na lei do Senhor, e nela estuda dia e noite. As pessoas que acreditam e seguem a Deus são como árvores que dão frutos no tempo certo e suas folhas não murcham, já os que são maus e não seguem o Senhor, são como palha que o vento leva. Deus cuida e abençoa aqueles que seguem seu caminho.".

O Senhor é a minha rocha

Salmos 18: 1 a 2

freepik.com

Davi cantou ao Senhor: "Eu te amo, ó Senhor, minha força. O Senhor é a minha rocha, a minha fortaleza, e o meu libertador, aquele em que me refugio, meu escudo e o seu poder que me salva, é a minha torre alta." Davi nesse salmo, mostra a Deus o quanto ele o ama em forma de uma canção.

O Senhor é o meu pastor

Salmos 23: 1 a 4

"O Senhor é o meu pastor e nada me faltará, em pastos verdejantes me faz descansar e me guia por águas tranquilas. Restaura a minha vida, e me guia pelo caminho da justiça por amor de seu nome. Mesmo se eu andar por um vale escuro, não terei medo porque tu estarás comigo, e o Senhor me protege." Davi sabia que Deus sempre estava com ele e que não precisava se sentir sozinho ou com medo.

freepik.com

Davi confia no Senhor

Salmos 84: 4 e 11 a 12

"Como são felizes os que habitam na sua casa e te louvam sem parar. O Senhor é sol e escudo, o Senhor dá favor e honra e não recusa nenhum bem. Como é feliz aquele que em ti confia" Davi cantava com alegria ao Senhor.

freepik.com

Davi faz um pedido a Deus

Salmos 86: 11 a 12

Davi faz um pedido a Deus de todo o seu coração: "Me ensina o teu caminho, Senhor, para que eu ande em tua verdade, me dá um coração inteiramente fiel, para que eu tema seu nome. De todo o meu coração te louvarei, Senhor, meu Deus, adorarei seu nome para sempre!"

Venham todos!

Salmos 95: 1 a 6

Davi adorava cantar e louvar ao Senhor, ele chamava a todos para demonstrar seu amor, e para chamar o povo para adorar a Deus junto com ele: "Venham!! Cantemos ao Senhor com alegria! Vamos a presença dele com ações de graça, e realizar cânticos de louvor. Pois o Senhor é o grande Deus, o grande Rei acima de todos os deuses. Nas suas mãos estão as profundezas da terra, dele também é o mar, pois ele os fez e as suas mãos formaram a terra seca. Venham! Vamos adorar ao Senhor, nosso Criador."

O meu socorro vem do Senhor

Salmos 121: 1 a 8

Davi quando estava ansioso por algumas coisas também orava ao Senhor, e um dia ele fez esse salmo: "Levanto os meus olhos para os montes e pergunto: De onde me virá o socorro? O meu socorro vem do Senhor, que fez os céus e a terra. Ele não permitirá que você tropece, o seu protetor se manterá alerta, pois ele não dormirá. Ele é seu protetor como sombra que o protege, de dia o sol não ferirá nem a lua, de noite. O Senhor te protegerá de todo o mal, protegerá sua vida, desde agora e para sempre!"

Os que confiam no Senhor

Salmos 125: 1 a 4

"Os que confiam no Senhor, são como monte de Sião, que não se abalam, mas permanecem para sempre! Como os montes de Jerusalém, assim o Senhor protege o seu povo, de agora para sempre. O Senhor trata com bondade os que fazem o bem e os que tem coração integro!". Davi confiava em Deus pois sabia que estava cuidando de tudo.

freepik.com

JULHO 3

O Senhor me conhece

Salmos 139: 1 a 24

freepik.com

"Senhor, tu me conheces, sabes quando me sento e quando me levanto, de longe percebe os meus pensamentos. Sabes muito bem quando trabalho e quando descanso, todos os meus caminhos são bem conhecidos por ti, antes mesmo que a palavra chegue na minha língua, tu já a conheces Senhor! Tu me cercas por trás e pela frente, e pões tua mão sobre mim. Teu conhecimento é maravilhoso, e esta além do meu alcance, é tão elevado que não posso atingir. Senhor vê se algo que faço é errado e dirigi-me pelo caminho eterno."

JULHO 4

A resposta certa vem do Senhor

Provérbios 16: 1 e 3

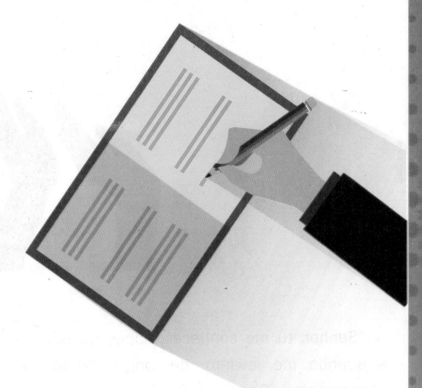

freepik.com

O livro de Provérbios foi escrito pelo rei Salomão, filho de Davi, com a sabedoria que ele pediu a Deus, escreveu esse livro com um conjunto de pensamentos, regras e conselhos sobre diversos temas, em um deles ele escreveu: "Ao homem pertencem os planos do coração, mas do Senhor vem a resposta certa. Consagre a Deus, tudo o que você faz e os seus planos serão bem sucedidos.".

Há tempo para tudo

Eclesiastes 3: 1 a 8

Eclesiastes também é um livro escrito por Salomão, e em um dos capítulos ele fala sobre o tempo: "Para tudo há o tempo certo para cada propósito debaixo do céu: tempo de nascer e tempo e morrer, tempo de plantar e tempo de colher, tempo de derrubar e tempo de construir, tempo de chorar e tempo de rir, tempo de ficar triste e tempo de dançar, tempo de abraçar e tempo de não abraçar, tempo de procurar e tempo de desistir, tempo de guardar e tempo de jogar fora, tempo de lutar e tempo de viver em paz.". Para tudo há o tempo certo de Deus.

freepik.com

Daniel na Babilônia

Daniel 1: 1 a 21

Na época em que Nabucodonosor era rei da Babilônia, ele pediu ao seus oficiais que trouxessem israelitas de boa aparência, cultos e inteligentes para servirem no palácio do rei, assim ele ensinaria a eles a língua e a literatura dos babilônicos. Dentre esse jovens estava Daniel e seus amigos, Sadraque, Mesaque e Abede-Nego. A eles Deus deu sabedoria e inteligência para conhecerem ciência e cultura, mas a Daniel além disso, deu o dom de interpretar sonhos e visões. O rei percebeu que eles eram diferentes, e por isso eles permaneceram no palácio.

freepik.com

O sonho de Nabucodonosor

Daniel 2: 1 a 46

O rei Nabucodonosor começou a ter sonhos que perturbavam sua mente, e ele não conseguia mais dormir, então pediu para que os magos, encantadores, feiticeiros e astrólogos do reino dissessem o que ele havia sonhado e o que aquilo significava, mas nenhum deles foi capaz de descobrir. Então Daniel foi até o rei e disse a ele que existia um Deus nos céus que revela mistérios, e que esse mesmo Deus havia falado com ele. Daniel revelou o sonho e seu significado ao rei: "A cabeça de ouro da estátua é o senhor, e depois do seu reino virá um de metal e na sequência um reino de bronze que tomará toda a terra. O quarto reino será de ferro e barro que será em parte forte mas também frágil, o que significa que será um reino dividido. E por fim virá um reino que destruirá todos os reinos, e durará para sempre." Nabucodonosor ficou impressionado e caiu de joelhos em frente a Daniel, confessando que Deus era o Deus dos deuses e Senhor dos reis, ele passou a tratar Daniel como alguém muito importante, pois viu que o Senhor estava com ele.

A fornalha

Daniel 3: 1 a 30

Certo dia, o rei Nabucodonosor mandou fazer uma estátua de ouro e então proclamou ao povo que quando as trombetas tocassem, todos deveriam se inclinar e adorar a estátua de ouro, e quem não se inclinasse e adorasse seria atirado numa fornalha em chamas. Porém Sadraque, Mesaque e Abede-Nego não adoraram a estátua, pois sabiam que Deus não se agradaria, então o rei mandou jogá-los na fornalha. Só que enquanto eles estavam dentro da fornalha em chamas, o rei viu uma quarta pessoa, era um anjo do Senhor que estava cuidando deles para que nenhum fio de cabelo fosse queimado. O rei mandou tirá-los de lá e disse: "Louvado seja o Senhor que salvou a vida desses jovens.".

Daniel na cova dos leões

Daniel 6: 1 a 28

freepik.com

Depois de um tempo, os babilônicos perderam suas terras para outro povo, que eram conhecidos como medos, o rei deles se chamava Dário, ele gostava muito de Daniel, e sabia que Deus estava com ele. Porém alguns homens no reino convenceram o rei que durante trinta dias ninguém poderia orar a qualquer deus, e aquele que fizesse isso, seria jogado na cova dos leões. Daniel ao saber disso ficou muito chateado, mas não parou de orar ao Senhor, quando descobriram contaram ao rei, que com muita tristeza mandou Daniel direto para a cova dos leões. No dia seguinte quando o rei chegou, Daniel estava vivo e muito feliz, e disse: "O meu Deus mandou um anjo que fechou a boca dos leões, pois o Senhor sabia que eu não havia feito nenhum mal." Dário ficou tão feliz que escreveu um decreto em que todos os homens deviam respeitar o Deus de Daniel.

Jonas é engolido por um grande peixe

Jonas 1: 1 a 17

Um dia o Senhor falou com um homem chamado Jonas, e disse a ele que deveria ir para a cidade de Nínive pregar sobre Deus, porque o mal havia tomado conta daquele lugar. Porém Jonas fugiu da presença do Senhor e não o obedeceu, entrou em um navio e foi para Társis, ao invés de ir para Nínive. Enquanto ele estava no navio, Deus fez soprar um vento muito forte que se transformou em tempestade, todos os marinheiros ficaram com medo, e logo Jonas percebeu que havia deixado Deus muito triste e por isso aquilo estava acontecendo. Pediu então para que os marinheiros jogassem ele ao mar e explicou que a tempestade pararia. Ao ser jogado no mar, Jonas foi engolido por um grande peixe, ele ficou dentro do peixe durante três dias.

JULHO 11

A oração de Jonas

Jonas 2: 1 a 10

Dentro do peixe, Jonas orou a Deus: "Em meu desespero clamei ao Senhor, e ele me respondeu. Com cântico de gratidão, oferecerei sacrifício a ti, e o que prometi cumprirei totalmente." e o Senhor deu ordem para que o peixe vomitasse Jonas. Então Deus novamente pediu para que Jonas fosse para Nínive: "Diga a eles que se o povo não quiser ouvir da minha palavra, a cidade será destruída em quarenta dias.".

JULHO **12**

Jonas obedece ao Senhor

Jonas 3: 1 a 10

shutterstock.com/askib

Jonas obedeceu o Senhor e anunciou na cidade de Nínive o que Ele havia mandado. Quando o povo ouviu a palavra do Senhor, todos se arrependeram e começaram a adorar o Senhor, até o rei se arrependeu e pediu para que todos clamassem ao Senhor com suas forças para que não houvesse destruição. Deus ouviu o clamor do povo e não destruiu a cidade.

Jonas fica bravo

Jonas 4: 1 a 11

Apesar de Jonas ter feito o que Deus havia mandado, e o povo de Nínive ter se convertido, ele não gostou de Deus ter poupado a cidade, pois não gostava deles, para ele eram todos maus. Ao sair da cidade, Jonas foi para um lugar para poder descansar, e Deus fez crescer uma planta sobre Jonas para lhe dar sombra, e ele ficou muito feliz, mas no dia seguinte a planta havia secado e Jonas ficou triste, então Deus falou para ele: "Você teve pena dessa planta, embora não tenha podado nem tenha feito ela crescer, contudo, Nínive tem mais de cento e vinte mil pessoas, será que eu não deveria ter pena deles?" Jonas percebeu que Deus ama as pessoas acima de tudo, e que não deveria ficar mais bravo por causa disso.

A contribuição para a casa do Senhor

Malaquias 3: 6 a 12

O profeta Malaquias em seu livro alerta ao povo em relação aos pecados cometidos e também para uma restauração no relacionamento deles com Deus. Uma das coisas que escreveu foi algo que o próprio Senhor falou: "Pode um homem roubar de Deus? Contudo, vocês estão me roubando, e ainda perguntam: 'Como é que te roubamos?' Nos dízimos e nas ofertas, tragam o dízimo ao depósito do templo, para que haja alimento em minha casa, e vejam se eu não vou abrir as portas dos céus e derramar tantas bênçãos que nem terão onde guardá-las.". Malaquias escreveu sobre um mandamento do Senhor, e tudo aquilo foi dito com amor, porque Deus ama a quem dá suas contribuições com alegria.

Um anjo fala com Maria

Lucas 1: 26 a 38

Foi assim o nascimento de Jesus: Maria, sua mãe, estava prometida em casamento para José, mas, antes que se unissem, um anjo apareceu a ela e disse: "Alegre-se, você foi agraciada por Deus, você ficará grávida do Espírito Santo, dará luz a um filho e lhe dará o nome de Jesus, ele será grande e será chamado Filho Altíssimo e ele reinará para sempre!". Maria no começo ficou com medo, mas depois percebeu que era realmente o Senhor que estava dando para ela o presente de ser mãe de Jesus e por isso ficou muito contente.

shutterstock.com/askib

José também é visitado por um anjo

Mateus 1: 18 a 25

José ao ficar sabendo sobre a gravidez, pensou em anular o casamento, pois ficou imaginando o que outros pensariam ao saberem que Maria estava grávida antes do casamento. Mas então enquanto dormia, um anjo apareceu a ele e disse: "José, não tenha medo de receber Maria como sua esposa, pois o que nela foi gerado procede do Espírito Santo, ela dará a luz um filho e você deverá dar-lhe o nome de Jesus, porque ele salvará o povo de seus pecados.". Ao acordar José entendeu que aquele era o plano do Senhor, por isso recebeu Maria como sua esposa.

O Nascimento de Jesus

Lucas 2: 1 a 7

Naqueles dias, o imperador César Augusto ordenou que todos fossem para sua cidade natal para se alistarem. Então José saiu com Maria da cidade que estava em Nazaré e foi para Belém se alistar, pois pertencia a casa e a família de Davi. Enquanto estavam lá, chegou o tempo do bebê nascer, mas a cidade estava tão cheia que não havia local para eles se hospedarem, então foram para uma estrebaria onde ficavam os animais, e Jesus nasceu ali, os pais muito felizes o envolveram em panos e o colocaram numa manjedoura.

Os pastores e os anjos

Lucas 2: 8 a 18

Alguns pastores estavam nos campos tomando conta de seus rebanhos, quando de repente, um anjo do Senhor apareceu e lhes disse: "Não tenham medo, trago boas novas que são para todo o povo, hoje na cidade de Davi, nasceu o Salvador, que é Cristo, o Senhor. Vocês encontrarão o bebê sobre panos deitado em uma manjedoura.". Em seguida apareceu um grupo de anjos adorando e louvando a Deus. Os pastores foram correndo para lá e encontraram Jesus, depois de o verem, contaram as boas novas a todo o povo.

shutterstock.com/askib

JULHO 19

A visita dos magos

Mateus 21: 1 a 12

Depois que Jesus nasceu em Belém, os magos vindos do oriente chegaram a Jerusalém e perguntaram: "Onde está o recém-nascido rei dos judeus? Vimos sua estrela no oriente e viemos aqui adorá-lo". O rei Herodes ouvindo aquilo ficou muito bravo mas fingindo ter gostado da noticia, contou aos magos que o bebê estava em Belém, e pediu que depois que o encontrassem, voltassem para contar a ele, para que então também pudesse adorá-lo. Os reis seguiram a caminho de Belém e viram a estrela novamente que os guiou até Jesus, eles ficaram muito felizes ao vê-lo, e cada um lhe entregou um presente: ouro, incenso e mirra. Quando foram embora tiveram um sonho para que não voltassem a Herodes, então retornaram para suas terras por outro caminho.

A fuga para o Egito

Mateus 2: 13 a 18

Depois que os magos partiram, José teve um sonho em que um anjo do Senhor disse a ele: "Levante-se, pegue o menino e sua mãe, e fuja para o Egito. Fique lá até que eu diga, pois Herodes vai procurar o menino para matá-lo.". Então José se levantou, pegou Jesus e Maria e foi para o Egito. Quando Herodes percebeu que os magos haviam o enganado, ficou furioso e ordenou que matassem todos os meninos de dois anos para baixo, em Belém e nas proximidades. José e sua família ficaram no Egito até a morte de Herodes.

Jesus é apresentado no templo

Lucas 2: 22 a 38

José e Maria levaram Jesus para Jerusalém para apresentá-lo no templo Senhor. Havia um homem em Jerusalém chamado Simeão, que era justo e piedoso, o Espírito Santo havia revelado a ele que não morreria antes de ver Jesus Cristo, então foi movido pelo Espírito Santo para o templo no mesmo dia em Jesus seria apresentado. Simeão pegou Jesus nos braços, louvou a Deus e disse: "Ó Soberano, como prometeste, agora podes despedir em paz teu servo, pois os meus olhos já viram tua salvação.". Ana, filha de Fanuel, que já era idosa mas frequentava todos os dias o templo, também pôde ver o menino Jesus, dando graças ao Senhor por ter tido a oportunidade de conhecê-lo.

O menino Jesus no templo

Lucas 2: 41 a 51

Quando Jesus completou doze anos de idade, José e Maria levaram ele para Jerusalém como faziam todos os anos para a festa da Páscoa. Terminada a festa, voltando seus pais para a casa, Jesus ficou em Jerusalém sem eles perceberem. Quando deram conta que Jesus não estava com eles, começaram a procurá-lo em todos os lugares. Depois de três dias encontraram ele no templo, sentado entre os mestres, ouvindo-os e fazendo-lhes perguntas. Quando seus pais o viram, ficaram impressionados com tanto conhecimento, e perguntaram porque ele havia sumido daquele jeito, e ele disse: "Não sabiam que eu deveria estar na casa de meu Pai?" depois disso voltaram para Nazaré. Jesus ia crescendo em sabedoria, estatura e graça diante de Deus e dos homens.

shutterstock.com/grmarc

João Batista

João 1: 6 e Mateus 3: 11

Surgiu um homem enviado por Deus, que se chamava João. Ele próprio não era a luz, mas veio como testemunha da luz, que ilumina todos os homens. João Batista batizava as pessoas que confessavam seus pecados no rio Jordão, mas sempre dizia: "Eu os batizo com água para arrependimento, mas depois de mim vem alguém mais poderoso. Ele os batizará com o Espírito Santo e com fogo.".

shutterstock.com/askib

O batismo de Jesus

Mateus 3: 13 a 16

Jesus veio da Galileia ao Jordão para ser batizado por João. No entanto, João tentou impedi-lo dizendo que ele que deveria ser batizado por Jesus, mas Jesus respondeu: "Deixe assim por enquanto, pois é a vontade Deus.". Assim que Jesus foi batizado, o céu se abriu, e ele viu o Espírito de Deus descendo como pomba e pousando sobre ele. Então uma voz dos céus disse: "Este é o meu Filho amado, de quem me agrado".

A tentação de Jesus

Mateus 4: 1 a 11

Jesus foi para o deserto, lá jejuou durante quarenta dias e quarenta noites, e já estava com fome. O diabo se aproveitou da situação se aproximou dele e disse: "Se és Filho de Deus, manda que estas pedras se transformem em pães". Jesus respondeu: "Está escrito que nem só de pão viverá o homem, mas de toda a palavra que procede da boca de Deus". Então o diabo o levou na parte mais alta de um templo e falou: "Se és Filho de Deus, joga-te daqui para baixo, que os anjos te protegerão". E Jesus respondeu que não era certo colocar Deus em prova. Ainda persistindo, o diabo o levou no topo de um monte e disse: "Se te prostrares e me adorares, te darei tudo isso, reinos do mundo e seu esplendor". Mas Jesus com firmeza respondeu: "Retire-se diabo! Pois está escrito para adorarmos somente ao Senhor". Depois disso, o diabo o deixou e os anjos vieram e serviram a Jesus.

shutterstock.com/askib

Jesus chama os primeiros discípulos

Mateus 4: 18 a 22

Andando à beira do mar da Galileia, Jesus viu dois irmãos, Simão, chamado Pedro, e seu irmão André. Eles estavam lançando as redes ao mar pois eram pescadores, então Jesus disse: "Sigam-me, e eu os farei pescadores de homens". No mesmo instante eles deixaram suas redes e o seguiram. Mais adiante encontraram outros dois irmãos, Tiago, filho de Zebedeu, e João, seu irmão, então Jesus os chamou, e eles imediatamente abandonaram o barco e o seguiram também.

JULHO 27

Jesus chama Filipe e Natanael

João 1: 43 a 51

No dia seguinte Jesus decidiu partir para a Galileia, quando encontrou um homem chamado Filipe e disse: "Siga-me". Filipe logo foi correndo contar para Natanael que havia encontrado aquele sobre quem Moisés escreveu na Lei, e também que os profetas falaram: Jesus de Nazaré, filho de José. Natanael foi ao encontro de Jesus, e antes de falar qualquer coisa, Jesus disse a ele: "Aí esta um verdadeiro israelita, em quem não existe falsidade." E Natanael perguntou de onde o conhecia, e Jesus disse que o conheceu enquanto ele estava embaixo da figueira, antes de Filipe o chamar. Natanael declarou: "Mestre, tu és o Filho de Deus, tu és o Rei de Israel." e Jesus falou a ele: "Você crê porque eu disse que o vi debaixo da figueira, mas verá coisas muito maiores que essa.".

JULHO 28

Pescadores de homens

Lucas 5: 1 a 11

Certo dia Jesus estava perto do lago de Genesaré, uma multidão o comprimia de todos os lados para ouvir a palavra de Deus. Viu a beira do lago dois barcos, deixados pelos pescadores e entrou em um deles que pertencia a Simão, e começou a pregar de lá. Depois que terminou disse a Simão: "Vá para onde as águas são mais fundas, e lancem suas redes.". Simão explicou que tinham se esforçado durante toda a noite anterior e não pegaram nada, mas mesmo assim jogou as redes juntos com outros, assim como Jesus havia pedido, e ao puxá-las estavam pesadas de tantos peixes. Ficaram todos impressionados com o que havia acontecido. E Jesus disse a eles: "Não tenham medo, de agora em diante vocês serão pescadores de homens". Eles então deixaram tudo e o seguiram.

Jesus transforma água em vinho

João 2: 1 a 11

Jesus, sua mãe e alguns discípulos foram convidados para um casamento em Caná da Galileia. Enquanto estavam na festa o vinho acabou, e a mãe de Jesus logo foi contar para ele, então Jesus disse: "A minha hora ainda não chegou", e sua mãe disse aos serviçais para fazerem tudo o que ele mandasse. Jesus então pediu para que enchessem seis potes grandes com água, e levassem para o responsável da festa experimentar. Ao provar, a água havia se transformado em vinho, sem saber da onde tinha vindo o vinho, apenas ficou surpreso com o sabor tão bom e foi elogiar ao noivo. Esse foi o primeiro milagre de Jesus.

O chamado de Mateus

Mateus 9: 9 a 13

Um dia enquanto Jesus estava andando encontrou Mateus, um cobrador de impostos, nessa época cobradores de impostos eram chamados de publicanos, e Jesus disse-lhe: "Siga-me", ele deixou tudo e o seguiu. Mais a noite Jesus e seus discípulos estavam jantando com publicanos e alguns fariseus perguntaram por que o Senhor comia com publicanos e pecadores. Ouvindo isso Jesus disse: "Eu não vim chamar os justos, mas sim os pecadores".

A entrada triunfal

Mateus 21: 1 a 11

Quando se aproximaram de Jerusalém, Jesus chamou dois discípulos e disse: "Vão ao povoado que está a frente, logo vocês encontrarão uma jumenta amarrada, com um jumentinho do lado, tragam os dois para mim, e se alguém perguntar alguma coisa, digam que é para o Mestre, e que depois iremos devolver." Jesus então montou sobre a jumenta, e uma multidão ao vê-lo espalhou ramos de árvores pelo caminho e começou a gritar: "Hosana ao Filho de Davi, bendito é o que vem em nome do Senhor, Hosana nas alturas!". E todos louvavam e diziam que ele era Jesus, o profeta de Nazaré da Galileia.

shutterstock.com/Niki99

AGOSTO 1

Jesus purifica o templo
João 2: 12 a 22

Certo dia, Jesus subiu a Jerusalém, e no pátio do templo viu algumas pessoas vendendo bois, ovelhas, pombas, já outras pessoas estavam sentadas trocando dinheiro. Nesse momento Jesus ficou muito bravo e disse: "Tirem essas coisas daqui! Parem de fazer da casa de meu Pai um mercado." Jesus então imediatamente pediu para que destruíssem aquele templo e disse que em três dias o levantaria, eles não entenderam direito pois aquele templo havia demorado quarenta e seis anos para ser feito, mas Jesus não estava falando do templo, mas sim, de seu corpo e sobre sua ressurreição, no entanto, só iriam entender o que ele falava mais tarde.

shutterstock.com/askib

Jesus ensina o povo e cura os doentes

Mateus 4: 23 a 25

Jesus foi por toda Galileia, ensinando e pregando as boas novas do Reino, e curando todas as enfermidades e doenças entre o povo. Notícias sobre ele se espalharam por toda a Síria, e o povo lhe trouxe todos os que sofriam de vários tipos de doenças e enfermidades, e ele curou a todos. Grandes multidões o seguiam, pois todos queriam ver e o ouvir a Cristo.

AGOSTO 3

A escolha dos doze apóstolos

Lucas 6: 12 a 16 e 9: 1 a 2

Num daqueles dias, Jesus saiu para o monte e passou a noite orando a Deus. Ao amanhecer, chamou seus discípulos e escolheu doze deles, a quem também designou apóstolos: Simão, a quem deu o nome de Pedro; seu irmão André; João; Filipe; Bartolomeu; Mateus; Tomé; Tiago, filho de Alfeu; Simão, chamado zelote; Judas, filho de Tiago; e Judas Iscariotes, aquele que iria trair Jesus. Reunindo os doze deu-lhes poder e autoridade para expulsarem demônios e curar doenças, e os enviou para pregar o Reino de Deus e a curar os enfermos.

As bem-aventuranças

Mateus 5: 1 a 11

Um dia Jesus subiu ao monte e se assentou, seus discípulos se aproximaram dele, então começou a ensiná-los dizendo: "Bem-aventurados os pobres de espírito, pois deles é o Reino dos céus, bem-aventurados os que choram, pois serão consolados, bem-aventurados os humildes, pois eles receberão a terra por herança, bem-aventurados os que tem fome e sede de justiça, pois serão satisfeitos, bem-aventurados os misericordiosos, pois obterão misericórdia, bem-aventurados os puros de coração, pois verão a Deus, bem-aventurados os pacificadores, pois serão chamados filhos de Deus, bem-aventurados os perseguidos por causa da justiça, pois deles é o Reino dos céus. Alegrem-se, porque grande é sua recompensa no céu.".

AGOSTO 5

O sal da terra e a luz do mundo

Mateus 5: 13 a 16

Jesus disse a seus discípulos: "Vocês são sal da terra, mas se o sal perder o seu sabor, comor restaurá-lo? Não servirá para nada, exceto para ser jogado fora e pisado pelos homens. Vocês são a luz do mundo, pois não se pode esconder uma cidade construída sobre um monte, e também ninguém acende uma lamparina e a coloca debaixo de uma vasilha. Ao contrário, coloca-a no lugar apropriado, e assim ilumina a todos os que estão na casa. Assim brilhe a luz de vocês diante dos homens, para que vejam as suas boas obras e glorifiquem ao Pai de vocês, que está nos céus."

O amor aos inimigos

Mateus 5: 43 a 48

Certo dia Jesus disse ao povo: "Vocês ouviram o que foi dito: 'Ame o seu próximo e odeie seu inimigo', mas eu lhes digo: Amem seus inimigos e orem por aqueles que o perseguem, para que vocês venham a ser filhos de seu Pai que está nos céus. Portanto façam o bem e amem seus inimigos sem querer receber algo em troca pois, assim vocês terão a grande recompensa do Senhor."

AGOSTO 7

A oração

Mateus 6: 5 e 13

Jesus ensina ao povo como orar: "E quando vocês orarem, não fiquem em pé nas sinagogas e esquinas, a fim de serem vistos pelos outros, mas quando orar, vá para seu quarto, feche a porta e ore a seu Pai, que está em secreto, então seu Pai, que o vê em secreto, o recompensará. E não precisam ficar repetindo as mesmas coisas como os pagãos, porque seu Pai sabe do que vocês precisam, então orem assim: Pai nosso que está nos céus! Santificado seja o teu nome. Venha o teu Reino e seja feita sua vontade, assim na terra como nos céus. Dá-nos hoje o nosso pão de cada dia. Perdoa as nossas dívidas, assim como perdoamos aos nossos devedores. E não nos deixe cair em tentação, livra-nos do mal, porque teu é o Reino, o poder e a glória para sempre. Amém.".

Os tesouros no céu

Mateus 6: 16 a 34

Jesus diz ao povo: "Não juntem para vocês tesouros na terra, onde a traça e a ferrugem podem destruir, e onde os ladrões podem entrar e roubar, mas juntem para vocês os tesouros dos céus, pois onde estiver o seu tesouro, ai também estará o seu coração. Ninguém pode servir a Deus e ao dinheiro ao mesmo tempo." e ainda disse "Não se preocupem com sua própria vida, com o que irão comer, beber, e nem com o que vestir, busquem pois primeiro o Reino dos céus e a sua justiça, e todas essas coisas lhe serão acrescentadas.".

AGOSTO 9

Como construir uma casa

Mateus 7: 24 a 28

Jesus faz um ensinamento importante ao povo: "Portanto, quem ouve estas minhas palavras e as pratica é como um homem sábio que construiu sua casa sobre a rocha, caiu a chuva, transbordaram os rios, sopraram os ventos e deram contra aquela casa e ela não caiu, porque tinha seus alicerces na rocha. Mas quem ouve estas minhas palavras e não as pratica é com um homem tolo, que construiu sua casa na areia, e quando a chuva, os rios, e os ventos deram contra aquela casa, ela caiu e nada sobrou."

AGOSTO 10

Jesus é ungido por uma pecadora

Lucas 7: 36 a 50

Um dia Jesus foi convidado por um dos fariseus para jantar, e enquanto estavam comendo uma mulher daquela cidade, pecadora, trouxe um frasco de perfume, e se colocou diante dos pés de Jesus. Chorando começou a molhar-lhe os pés com suas lágrimas e depois os enxugou com seus cabelos, beijou-os e os ungiu com o perfume. Os fariseus ao verem aquilo ficaram indignados, pois não entendiam como Jesus podia deixar uma pecadora tocar-lhe os pés. E Jesus prontamente respondeu: "Entrei em sua casa, mas você não me deu água para lavar os pés, ela, porém, molhou os meus pés com suas lágrimas e enxugou com os cabelos, portanto, eu lhe digo, os muitos pecados dela foram perdoados, pois ela amou muito." e disse a mulher: "Sua fé a salvou, vá em paz.".

A cura de um leproso

Mateus 8: 1 a 4

Certo dia, quando Jesus desceu do monte, uma multidão começou a segui-lo, e no meio dessa multidão tinha um leproso, aproximando-se de Jesus, adorou-o e de joelhos disse: "Senhor, se quiseres pode me curar!", Jesus estendeu a mão, tocou nele e disse: "Eu quero, estás curado!". Em seguida Jesus pediu a ele para não contar nada a ninguém, pediu apenas que mostrasse ao sacerdote que estava curado. Mas o homem estava tão feliz que espalhou a notícia a todos.

AGOSTO 12

Jesus ressuscita o filho de uma viúva

Lucas 7: 11 a 17

Jesus foi a uma cidade chamada Naim, e com ele iam seus discípulos e uma grande multidão. Quando chegaram lá estava acontecendo um enterro do filho único de uma viúva. Ao vê-la, o Senhor ficou comovido e disse para que ela não chorasse, então chegou perto do caixão e disse: "Jovem, eu lhe digo, levante-se!". O menino então voltou a viver! Sua mãe ficou muito feliz, e todos em volta ficaram cheios de temor e louvaram a Deus. A noticia sobre os milagres que Jesus estava realizando se espalhava por todas as regiões.

AGOSTO 13

O poder de Jesus sobre os demônios e as doenças

Mateus 8: 14 a 17

Entrando Jesus na casa de Pedro, viu a sogra dele de cama e com febre. Quando segurou sua mão a febre passou, então ela se levantou e começou a servi-lo. Mais tarde, ao anoitecer foram trazidos a ele muitas pessoas que estavam com um espírito ruim dentro delas, Jesus apenas com uma palavra expulsou todos esses espíritos e curou a todos que estavam doentes. E assim se cumpriu o que foi dito pelo profeta Isaías: "Ele tomou sobre si as nossas enfermidades e sobre si levou as nossas doenças.".

AGOSTO 14

Para seguir Jesus foi preciso deixar tudo para trás

Lucas 9: 57 a 62

Quando Jesus andava por seu caminho, um homem chegou e lhe disse: "Eu te seguirei por onde quer que fores." e Jesus respondeu: "As raposas tem suas tocas e as aves do céu tem seus ninhos, mas o Filho do homem não tem onde repousar a cabeça.". Então ele disse a outro homem para segui-lo, mas o moço respondeu que precisava enterrar primeiro seu irmão que havia morrido, e Jesus disse a ele: "Deixe que os mortos enterrem seus próprios mortos, você, porém, vá e proclame o Reino de Deus.". Depois um terceiro homem disse: "Vou segui-lo Senhor, deixe-me primeiro voltar e despedir-me da minha família." e Jesus respondeu: "Ninguém que põe a mão no arado e olha para trás serve para anunciar o Reino de Deus.".

AGOSTO 15

Jesus acalma a tempestade

Mateus 8: 23 a 27

Jesus entrou no barco e seus discípulos o seguiram, de repente, uma violenta tempestade começou e o mar ficou muito agitado, de forma que as ondas inundavam o barco. Nesse momento Jesus dormia, então os discípulos foram acordá-lo, clamando: "Senhor, salva-nos! Vamos morrer!" e ele perguntou: "Por que vocês estão com tanto medo, homens de pequena fé?". Jesus então se levantou e mandou que os ventos e o mar se acalmassem, e todos ficaram muito impressionados.

AGOSTO 16

Jesus cura um paralítico

Marcos 2: 1 a 12

Alguns dias depois, Jesus foi para Carfanaum. Ele estava em uma casa e quando a multidão soube que ele estava ali se juntaram todos em volta dela, não dava para andar, então Jesus falava da palavra de Deus pela porta da frente. Alguns homens queriam que ele curasse um paralítico, mas como não dava para passar, fizeram um buraco no telhado e desceram a maca até Jesus, então ele disse: "Filho, os seus pecados estão perdoados.". Ali se encontravam alguns mestres e Jesus viu que eles duvidavam de seu poder, então Jesus disse ao paralítico: "Levante-se, pegue sua maca e vá para casa." todos ficaram impressionados glorificaram a Deus e disseram: "Nunca vimos nada igual"

AGOSTO 17

Jairo faz um pedido a Jesus

Marcos 5: 21 a 24

Jairo era um dos chefes da sinagoga na Galileia, quando ele viu Jesus se colocou diante de seus pés e disse: "Minha filhinha está morrendo! Vem por favor, e coloca suas mãos sobre ela para que seja curada e viva!" então Jesus foi com ele.

Uma mulher toca em Jesus

Marcos 5: 25 a 34

No caminho da casa de Jairo, uma multidão seguia Jesus, e no meio de todas aquelas pessoas tinha uma mulher que estava com hemorragia, e aquilo lhe fazia muito mal, ela já tinha ido a vários médicos e tinha gastado tudo o que tinha para que fosse curada, mas nada resolveu. Como ela acreditava no poder de Jesus chegou por trás dele e tocou em sua roupa, ela imediatamente ficou curada. No mesmo instante, Jesus percebeu que dele havia saído poder, então perguntou quem havia tocado em sua roupa. Mas os discípulos falaram que não dava para saber, pois tinha muitas pessoas ao redor dele, então a menina respondeu que havia sido ela, Jesus então disse: "Filha, sua fé a curou! Vá em paz e fique livre do seu sofrimento.".

shutterstock.com/rAnna Yefimenko

A filha de Jairo é curada

Marcos 5: 35 a 42

Enquanto Jesus ainda estava falando, chegaram algumas pessoas da casa de Jairo dizendo que a filha dele tinha morrido e que não precisava mais incomodar o mestre. E Jesus disse a ele: "Não tenha medo, somente creia". Quando chegou na casa de Jairo disse a todos: "Não fiquem tristes, a criança não está morta, ela está dormindo." as pessoas começaram a rir de Jesus, então ele pegou a mão da menina e disse: "Menina, levante-se" a menina ressuscitou, e todos ficaram admirados e agradeceram a Jesus.

AGOSTO 20

A cura de dois cegos e um mudo

Mateus 9: 27 a 34

Certo dia Jesus estava andando e dois cegos o seguiram, clamando: "Filho de Davi, tem misericórdia de nós!" então Jesus perguntou a eles: "Vocês creem que posso curá-los?" e eles responderam que sim, Jesus tocou os olhos de cada um e eles foram curados por sua fé. Jesus pediu para que eles não contassem a ninguém, mas os dois espalharam a noticia pela cidade. Logo depois, algumas pessoas levaram até Jesus um homem que não podia falar, ele era mudo, Jesus então o curou e mais uma vez todos ficaram admirados com seu poder.

shutterstock.com/npine

O Senhor do sábado

Mateus 12: 1 a 8

Era sábado, dia considerado santo pelos judeus, e Jesus e seus discípulos passaram por uma plantação de trigo, os discípulos estavam com fome, então começaram colher as espigas de milho para comer. Os fariseus vendo aquilo disseram a Jesus que eles estavam desrespeitando a lei referente ao sábado. Mas Jesus prontamente respondeu que se soubessem o que está nas escrituras não julgariam aqueles que não tem culpa, pois o Filho do homem é o Senhor do sábado e tem autoridade sobre esse dia.

freepik.com

Jesus cura a mão de um homem

Mateus 12: 9 a 14

Saindo daquele lugar, Jesus foi para sinagoga dos fariseus e estava ali um homem com uma das mãos aleijada. Procurando um motivo para acusar Jesus, lhe perguntaram: "É permitido curar no sábado?" e Jesus respondeu: "Qual de vocês, se tiver uma ovelha e ela cair no buraco no sábado, não irá pegá-la e tirá-la de lá? Quanto mais vale um homem do que uma ovelha! Portanto, é permitido fazer o bem no sábado!". Depois de dizer isso Jesus curou o homem. Os fariseus ficaram muito bravos e começaram a fazer planos contra Jesus.

AGOSTO 23

A cura de um surdo e gago

Marcos 7: 31 a 37

Um dia trouxeram até Jesus um surdo que além de não ouvir, mal podia falar. Jesus então colocou os dedos nos ouvidos dele, em seguida, cuspiu e tocou na língua do homem e depois disse: "Abre-se" com isso, os ouvidos do homem se abriram, sua língua ficou livre e ele começou a falar corretamente. Jesus apenas pediu para que não contassem a ninguém, mas todos ficaram maravilhados e espalharam a noticia.

shutterstock.com/askib

AGOSTO 24

Jesus e João Batista

Mateus 11: 1 a 6

João ao ouvir o que Cristo estava fazendo, enviou mensageiros para lhe perguntarem: "És tu o Messias, ou devemos esperar algum outro?" e Jesus respondeu: "Voltem anunciem a João o que vocês estão vendo e ouvindo: os cegos veem, os aleijados andam, os leprosos são curados, os surdos ouvem, os mortos são ressuscitados, e as boas novas são pregadas aos pobres. Felizes são aqueles que não duvidam de mim.".

AGOSTO 25

shutterstock.com/Anna Yefimenko

A parábola do semeador

Marcos 4: 1 a 8

Uma multidão estava em torno de Jesus para ouvi-lo, então ele subiu em um barco a beira-mar para poder ensinar o povo. Ele começou a contar uma parábola: "O semeador saiu para plantar suas sementes, algumas delas caíram no meio do caminho, e as aves vieram e comeram. Outra parte das sementes caíram em um terreno cheio de pedras, em que não havia muita terra, e logo brotaram porque a terra não era profunda, mas quando saiu o sol queimaram e secaram já que não tinham raízes. Outra parte caiu entre espinhos, que cresceram e sufocaram a plantas que não deram frutos. E outra parte caiu em boa terra, essas germinaram, cresceram e deram boa colheita." e ainda acrescentou: "Aquele que tem ouvidos para ouvir, ouça!".

shutterstock.com/askib

A explicação da parábola do semeador

Marcos 4: 9 a 20

Jesus explicou ao povo que o semeador é aquele que anuncia a palavra de Deus, algumas pessoas são como a semente a beira do caminho, logo que ouvem, já esquecem. Outras são como sementes lançadas entre as pedras, ouvem e recebem a palavra com alegria, mas depois de algum tempo esquecem o que ouviram, pois não tem raízes. Outras pessoas, são como as sementes jogadas entre os espinhos, ouvem a palavra, mas quando chegam as preocupações da vida, deixam os ensinamentos de lado. E tem pessoas que são como sementes lançadas em terra boa, ouvem a palavra, aceitam-na e depois colhem os bons frutos.

A parábola do joio e do trigo

Mateus 13: 24 a 30

Jesus contou outra parábola ao povo: "O Reino dos céus é como um homem que semeou a boa semente em seu campo, mas enquanto todos dormiam, veio seu inimigo e semeou joio no meio do trigo e fugiu. Quando o trigo brotou formou espigas, mas o joio também apareceu. Os servos do dono do campo foram correndo lhe contar sobre o joio, e perguntaram se ele queria que o arrancassem de lá. Mas o homem respondeu que não, porque ao tirar o joio poderiam arrancar o trigo, então pediu para que deixassem os dois crescerem juntos, na hora da colheita fariam a separação, e queimariam o joio".

AGOSTO 28

A explicação da parábola do joio e do trigo

Mateus 13: 36 a 40

Jesus então explicou que aquele que semeou a boa semente é o Filho do homem, o campo é o mundo, e a boa semente são os filhos do Reino, o joio são as pessoas ruins que não querem a Deus, e o inimigo é o diabo. A colheita é o fim dos tempos, e os encarregados da colheita são os anjos. Isso quer dizer, que os filhos do Reino brilharão como o sol no reino de seu pai, já os outros serão arrancados e jogados em um lugar onde Deus não habita.

shutterstock.com/Great Vector Elements

Um profeta sem honra

Mateus 13: 53 a 58

Quando acabou de contar as parábolas, Jesus saiu dali e chegando a sua cidade, começou a ensinar o povo na sinagoga. Alguns ficaram impressionados e perguntaram de onde vinha tanta sabedoria e os poderes milagrosos que ele tinha, mas a grande maioria do povo da cidade dizia que Jesus era apenas o filho do carpinteiro. E Jesus lhes disse: "Só em sua própria terra e em sua própria casa é que um profeta não tem honra." Jesus ficou triste com o povo de Nazaré, pois não acreditavam nele, por isso fez poucos milagres nessa cidade.

AGOSTO 30

A morte de João Batista

Mateus 14: 1 a 12

João Batista havia sido preso por Herodes, um dos governadores da região, ele havia sido preso pois não concordava com o casamento do governador com Herodias, que era mulher de seu irmão. Então certo dia, em uma festa de aniversário de Herodes, a filha de Herodias dançou diante de todos, e agradou tanto a Herodes que ele prometeu dar a ela o que quisesse. Como recompensa ela pediu a cabeça de João Batista. Herodes então mandou trazerem a cabeça de João num prato para entregarem a ela. Os discípulos ao saberem disso, pegaram seu corpo, sepultam e foram contar a Jesus.

A multiplicação de pães e peixes

Mateus 14: 13 a 20

Ao saber o que tinha ocorrido, Jesus foi de barco para um lugar deserto, a multidão então o seguiu a pé, Jesus teve compaixão pelas pessoas e resolveu curar os doentes. Quando anoiteceu as pessoas começaram a sentir fome, mas o lugar onde estavam era deserto, e só tinham para comer cinco pães e dois peixes. Os discípulos sabiam que seria impossível alimentar todas aquelas pessoas somente com aquilo, mas Jesus pegou o alimento, agradeceu a Deus e mandou que os discípulos distribuíssem. Depois que todos já haviam comido e estavam satisfeitos, recolheram doze cestos cheios de pedaços que sobraram. Naquele momento Jesus havia realizado mais um milagre.

SETEMBRO 1

Jesus anda sobre as águas

Mateus 14: 22 a 33

Logo em seguida, Jesus insistiu com que os discípulos entrassem no barco e fossem na frente para o outro lado, enquanto ele se despedia da multidão. Jesus então se despediu e depois foi orar sozinho. Mais tarde já era madrugada e o barco se encontrava distante de Jesus, mas ele foi até os discípulos andando pelas águas. Eles ficaram aterrorizados, acharam que era um fantasma, mas Jesus gritou: "Coragem, sou eu! Não tenham medo." e Pedro respondeu: "Senhor, se és tu, manda-me ir ao teu encontro por sobre as águas." Jesus pediu para que ele viesse, e Pedro começou a caminhar pelas águas, mas sentiu medo e afundou, Jesus então o ajudou, e disse a ele que sua fé era muito pequena e que não devia ter duvidado do Senhor. Mais tarde todos foram para o barco e retornaram a Genesaré.

SETEMBRO 2

Em Genesaré

Mateus 14: 34 a 36

Quando Jesus e os discípulos chegaram em Genesaré, as pessoas começaram a reconhecê-lo e a espalhar a noticia em toda aquela região. Logo apareceram doentes, que suplicavam para tocar apenas na borda de suas roupas, e todos aqueles que tocaram foram curados.

Uma mulher cananeia demonstra fé

Mateus 15: 21 a 28

Jesus estava caminhando para a região de Tiro e de Sidom, quando uma mulher cananeia veio a ele gritando, pedindo para que tivesse misericórdia dela, pois sua filha estava possuída por espíritos ruins. Então ele disse: "Mulher, grande é sua fé! Seja conforme você deseja.". E naquele mesmo momento sua filha foi curada.

freepik.com

Jesus cura os doentes

Mateus 15: 29 a 31

Depois de curar a filha da mulher cananeia, foi para a beira do mar, subiu no monte e sentou. Uma grande multidão foi em direção dele, levaram paralíticos, cegos, mancos, mudos e muitos outros. Então Jesus curou a todos. O povo ficou admirado e todos louvaram a Deus!

shutterstock.com/Tomacco

A segunda multiplicação dos pães

Mateus 15: 32 a 39

Jesus chamou seus discípulos e disse: "Tenho compaixão dessa multidão, já faz três dias que eles estão comigo e nada tem para comer. Não quero mandá-los embora com fome, porque podem desmaiar no caminho.". Dessa vez os discípulos tinham sete pães e alguns peixinhos. Então Jesus mandou que a multidão sentasse no chão, orou dando graças, repartiu o alimento e mandou que entregassem ao povo. Todos comeram até não aguentar mais e ainda sobraram sete cestos cheios. Ao todo quatro mil homens sem contar mulheres e crianças haviam se alimentado.

freepik.com

Os fariseus pedem um sinal

Mateus 16: 1 a 4

Um dia os fariseus aproximaram-se de Jesus e o colocaram a prova, pedindo para que lhes mostrasse um sinal do céu. E Jesus disse a eles que muitas pessoas são más e precisam de um sinal milagroso para acreditar, e completou dizendo que não faria sinal algum. Então Jesus os deixou e retirou-se de lá triste com a atitude dos fariseus.

A cura de um cego em Betsaida

Marcos 8: 22 a 26

Certo dia, Jesus e seus discípulos estavam em um povoado em Betsaida pregando a palavra de Deus, quando algumas pessoas chegaram com um cego que queria ser curado. Jesus afastou o povo, chegou perto do cego e passou sua saliva nos olhos dele, na mesma hora o cego voltou a enxergar. Jesus pediu para que ele não voltasse ao povoado.

A confissão de Pedro

Mateus 16: 13 a 20

Chegando Jesus em Cesareia perguntou aos seus discípulos se o povo tinha dúvidas sobre quem ele era. E eles responderam, que muitos o confundiam com João Batista, outros com Elias, Jeremias e até mesmo outros profetas. Então Jesus perguntou aos discípulos quem eles diziam que ele era. Pedro respondeu: "Tu és Cristo, o Filho do Deus vivo!". E Jesus ficou muito feliz com a resposta dele, mas pediu para que eles não contassem as pessoas.

Seguindo Jesus

Marcos 8: 34 a 38

Certo dia, Jesus chamou a multidão e os discípulos e disse: "Se alguém quiser acompanhar-me, negue a si mesmo, esqueça seus interesses pessoais, tome sua cruz e siga-me. Pois quem quiser salvar a sua vida, perderá, mas quem perder a sua vida por minha causa e pela palavra do Senhor, a salvará. Pois do que adianta ao homem ganhar o mundo e perder a alma? Se alguém se envergonhar de mim e das minhas palavras, Deus também se envergonhará dele.".

A transfiguração

Mateus 17: 1 a 9

Seis dias depois, Jesus levou Pedro, Tiago e João para um alto monte, ali ele foi transfigurado na frente deles, sua face brilhou como o sol, e suas roupas se tornaram brancas como a luz. Eles estavam encantados com o que estavam vendo, e de repente ouviram uma voz que dizia: "Este é o meu Filho amado de quem me agrado, ouçam a ele.". Os discípulos ouvindo aquilo se prostraram com o rosto em terra, então Jesus pediu para que se levantassem, mas nada viram. Quando estavam descendo do monte, Jesus pediu para que não contassem nada a ninguém até que a palavra de Deus se cumprisse.

freepik.com

A cura de um menino

Mateus 17: 14 a 21

Um dia Jesus estava com a multidão, chegou um homem, ajoelhou-se diante do mestre e disse para ajudar o filho dele, que estava tendo ataques e sofria muito, disse que os discípulos tentaram curá-lo mas não conseguiram. Jesus então pediu que o trouxesse até ele, e apenas com uma palavra o menino foi curado. Logo depois os discípulos vieram perguntar por que não tinham conseguido curar o menino e Jesus explicou a eles que a fé que tinham era pequena, e que era preciso de oração e jejum.

O imposto no templo

Mateus 17: 24 a 27

Quando Jesus e seus discípulos chegaram a Cafarnaum, os cobradores de impostos vieram a Pedro e perguntaram se Jesus pagava impostos do templo. E Pedro respondeu que ele pagava e foi pra casa. Assim que chegou, Jesus perguntou a Pedro quem ele achava que pagava os impostos ao rei, e ele respondeu que os estrangeiros pagavam. Isso quer dizer que o povo da cidade era isento, não precisava pagar, mas para não ofendê-los, Jesus pediu para que Pedro tirasse do mar o primeiro peixe que pegasse, e dentro da boca dele teria uma moeda para pagar os impostos deles.

shutterstock.com/Dmitry Guzhanin

SETEMBRO **13**

O maior no Reino dos céus

Marcos 9: 33 a 37

Mais tarde, os discípulos estavam discutindo sobre quem era o maior, então Jesus ouviu aquilo e disse: "Se alguém quiser ser o primeiro, será o último e deverá servir a todos.". Para que eles pudessem entender o que Jesus queria dizer chamou uma criança no meio deles e disse: "Eu lhes afirmo que, a não ser que vocês se convertam e se tornem como crianças jamais entrarão no Reino dos céus. Quem recebe uma dessas crianças em meu nome, não esta apenas me recebendo, mas também aquele que me enviou.".

A ovelha perdida

Mateus 18: 10 a 14

freepik.com

Um dia Jesus contou uma parábola para os discípulos: "Se alguém possui cem ovelhas, e uma delas se perde, não irá deixar as noventa e nove ovelhas para salvar a que havia se perdido? E se conseguir encontrá-la, garanto que ele ficará mais contente com aquela ovelha do que com as noventa e nove que não se perderam. Da mesma forma, o Pai de vocês, que está nos céus, se alegra quando uma pessoa se arrepende de seus pecados e passa a seguir os caminhos do Senhor."

Jesus e as crianças

Mateus 19: 13 a 15

Certa vez, trouxeram várias crianças até Jesus, para que ele orasse e abençoasse suas vidas. Mas os discípulos não queriam que as crianças chegassem perto dele, e Jesus imediatamente disse: "Deixem vir a mim as crianças e não as impeçam, pois o Reino dos céus pertence aos que são parecidos com elas.". Então orou por todas elas e partiu.

shutterstock.com/Anna Yefimenko

SETEMBRO 16

O jovem rico

Mateus 19: 16 a 22

Um dia um homem se aproximou de Jesus e perguntou o que ele deveria fazer de bom para merecer uma vida eterna no céu, e Jesus lhe disse que era preciso obedecer todos os mandamentos; não matar, não roubar, não contar mentiras, honrar pai e mãe e amar ao próximo como a ti mesmo. E o jovem prontamente respondeu que já fazia tudo aquilo. Mas Jesus lhe falou: "Se quiser ser perfeito, venda toda sua riqueza e dê aos pobres, assim você terá um tesouro no céu, depois venha e me siga.". O jovem muito triste ouviu aquilo e se afastou, pois tinha muitas riquezas e não queria vender tudo para seguir Jesus.

SETEMBRO **17**

A parábola dos trabalhadores na vinha

Mateus 20: 1 a 16

Jesus contou outra parábola: "O Reino dos céus é como o dono que saiu cedo para contratar trabalhadores para sua plantação de uvas, ele combinou de pagar uma moeda pelo dia para cada um. Por volta das nove da manhã, ele saiu e viu outros homens que estavam sem fazer nada na praça e disse para que fossem trabalhar em sua vinha que lhes pagaria o que fosse justo, e assim foi contratando mais pessoas ao longo do dia. No fim do dia, na hora do pagamento, pediu para que seu administrador pagasse os salários, começando do último para o primeiro contratado. Os que começaram mais cedo ficaram bravos, pois acharam que deveriam ganhar mais, mas o dono da vinha explicou que eles tinham aceitado trabalhar o dia todo por uma moeda, e que era direito dele querer pagar uma moeda a todos se quisesse.". Então Jesus completou a história dizendo: "Os últimos serão os primeiros, e os primeiros serão os últimos.".

SETEMBRO 18

Jesus fala sobre sua ressurreição

Mateus 20: 17 a 19

Enquanto estava subindo para Jerusalém, Jesus chamou somente os doze discípulos e lhes disse: "Em breve serei entregue aos chefes dos sacerdotes e aos mestres da lei, eles me condenarão à morte, zombarão de mim, irei sofrer nas mãos deles, e por fim, irão me crucificar. Mas não temam, pois irei ressuscitar no terceiro dia, e a palavra de Deus se cumprirá." os discípulos não queriam perder Jesus mas confiaram no que ele disse.

O pedido de uma mãe

Mateus 20: 20 a 28

A mãe de Tiago e João se aproximou de Jesus com seus filhos e disse: "Faz com que no teu Reino, meus filhos sentem ao seu lado, um a direita e outro a esquerda." mas Jesus explicou a ela que não era decisão dele escolher quem sentaria ao seu lado, mas sim, Deus faria essa escolha. Vendo aquilo os outros discípulos ficaram muito bravos com os irmãos, então Jesus falou: "Vocês sabem que os governantes tem autoridade sobre o povo, mas não será assim com vocês. Ao contrário, quem quiser tornar-se importante entre vocês deverá servir, assim como o Filho de Deus que não veio para ser servido, mas para servir e dar a sua vida em resgate por muitos.

freepik.com

A cura de dois cegos

Mateus 20: 29 a 34

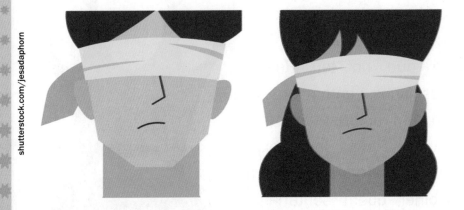

shutterstock.com/Jesadaphorn

Certo dia, ao sair de Jericó, uma grande multidão seguiu Jesus. Dois cegos estavam sentados à beira do caminho e, quando ouviram falar que Jesus estava passando, começaram a gritar: "Senhor, Filho e Davi, tem misericórdia de nós!" então Jesus perguntou o que queriam que ele fizesse, e eles responderam: "Senhor, queremos enxergar." ele teve compaixão deles e ao tocar em seus olhos recuperaram a visão e o seguiram.

Os samaritanos não receberam Jesus

Lucas 9: 51 a 56

Aproximando-se do tempo que Jesus seria levado aos céus para a palavra de Deus se cumprir, ele partiu para Jerusalém, e enviou mensageiros a sua frente. Eles entraram no povoado samaritano, mas o povo dali não recebeu Jesus, pois não queriam ele por lá. Então os discípulos perguntaram a Jesus se queria que fizessem cair fogo do céu para destruí-los, mas Jesus logo disse: "Não façam isso! O Filho de Deus não veio para destruir a vida dos homens, mas para salvá-los." então partiram para outro povoado.

shutterstock.com/IndianSummer

A parábola do bom samaritano

Lucas 10: 25 a 37

Certa vez, um mestre da lei quis colocar Jesus a prova e lhe perguntou o que deveria fazer para ter a vida eterna no céu. E Jesus perguntou se ele conhecia as leis, então  ele respondeu: "Ame o Senhor, o seu Deus de todo o seu coração, de toda a sua alma, de todas as suas forças e de todo o seu entendimento e ame seu próximo como a ti mesmo. Mas em seguida perguntou quem era o próximo dele. Então Jesus lhe contou uma parábola: "Um homem descia de Jerusalém para Jericó, quando foi assaltado na estrada e quase foi morto, um sacerdote passou e fingiu não vê-lo, depois um levita passou e atravessou a rua, então chegou um samaritano que teve piedade dele, cuidou de suas feridas, levou-o a uma pensão e cuidou dele." e perguntou ao mestre: "Qual desses três homens você acha que foi o próximo do homem que foi assaltado?" e o mestre respondeu que foi o samaritano que havia tido misericórdia dele, e Jesus então lhe disse: "Vá e faça o mesmo.".

Na casa de Marta e Maria

Lucas 10: 38 a 42

Caminhando Jesus com seus discípulos, chegaram a um povoado, onde certa mulher chamada Marta o recebeu em sua casa. Maria, sua irmã, ficou sentada aos pés do Senhor, ouvindo sua palavra. Marta, porém estava ocupada limpando a casa e cozinhando para todos, afinal estava recebendo Jesus em sua casa, então chegou perto dele e perguntou: "Senhor, não te importas que minha irmã me deixe fazendo tudo sozinha? Mande que ela me ajude!" e Jesus respondeu: "Marta, Marta! Você está preocupada e inquieta com muitas coisas, no entanto, Deus é a parte mais importante, e Maria escolheu a boa parte, e está não será tirada dela.".

shutterstock.com/askib

SETEMBRO **24**

O ensinamento de Jesus

Lucas 10: 5 a 11

Jesus contou uma história aos seus discípulos: "Imaginem que um de vocês tenha um amigo, e que a meia noite chegue a ele e diga pra que empreste três pães, porque um outro amigo chegou de viagem em sua casa e você não tem nada a oferecer. Mas ele pede para não incomodá-lo pois já é muito tarde e estava deitado, então você diz que provavelmente ele não se levantará por ser seu amigo, mas por sua insistência." então Jesus completa dizendo que assim como pai dá o melhor ao seu filho, Deus também dará coisas boas aos que pedirem com fé.

shutterstock.com/Anna Yefimenko

Prontos para o serviço

Lucas 12: 35 a 40

Jesus falou: "Estejam prontos para servir, e mantenham acesas suas velas, como aqueles que esperam seu patrão voltar de um banquete de casamento, para que, quando ele chegar, possam estar prontos para abrir a porta. Felizes os empregados cujo o patrão os encontrar vigiando e cuidando de tudo, pois ninguém sabe a hora que o ladrão pode vir roubar, mas o empregado está sempre pronto para combatê-lo. Estejam também vocês preparados, porque o Filho de Deus virá em uma hora que não o esperam.".

A parábola do grão de mostarda

Mateus 13: 31 a 32

Jesus perguntou aos seus discípulos: "Com que se compara o Reino dos céus?" e antes de ouvir uma resposta disse: "Pode ser comparado a um grão de mostarda que um homem semeou em sua horta. Ele cresceu e se tornou uma árvore, e as aves fizeram ninhos em seus ramos. Assim também é a fé, que muitas vezes parece pequena, mas se alimentarmos com a palavra de Deus, crescerá e se tornará forte, e dessa maneira poderá ser compartilhada com muitas outras pessoas".

shutterstock.com/askib

A porta estreita

Lucas 13: 22 a 24

Depois Jesus foi pelas cidades e povoados ensinar sobre a palavra de Deus, então uma pessoa lhe perguntou: "Senhor, serão poucos os que serão salvos?" e Jesus respondeu: "Se esforcem para entrar pela porta estreita, porque eu lhes digo que muitos tentarão entrar e não conseguirão." Jesus quis dizer que o caminho daqueles que seguem Jesus nem sempre é fácil, às vezes, serão bem complicados, por isso é importante orar, ler a palavra de Deus e estar sempre atento para agradar e ouvir ao Senhor.

Jesus na casa de um fariseu

Lucas 14: 1 a 11

Certo dia, Jesus foi comer na casa de um fariseu, e notou que os convidados escolhiam os lugares de honra à mesa. Ao ver isso Jesus lhes contou uma parábola: "Quando alguém lhe convidar para uma festa de casamento, não ocupe o lugar de honra, pois pode ser que tenha sido convidado alguém de maior honra do que você e assim terá que sair do lugar que estava sentado, e você ficará envergonhado. Então quando for convidado, escolha o lugar menos importante, de forma que o dono da festa pedirá para que se sente em um lugar melhor, assim você será honrado na frente de todos os convidados. Pois todo o que se engrandece será humilhado, e o que se humilha será engrandecido.".

A parábola do filho perdido

Lucas 15: 11 a 19

Jesus contou uma parábola: "Um homem tinha dois filhos, e o filho mais novo pediu a sua parte na herança, assim o pai fez, mas logo em seguida, o filho mais novo pegou sua herança e foi para uma região bem distante. Lá desperdiçou tudo o que tinha de forma irresponsável. Então começou uma época de fome na região, ele começou a passar necessidade, e teve que trabalhar cuidando de porcos em um campo. Ele sentia tanta fome que desejava comer a comida dos porcos. Então lembrou que seu pai tinha muitos empregados e comida de sobra, sua ideia foi voltar e passar a trabalhar para seu pai.

freepik.com

O retorno do filho perdido

Lucas 15: 20 a 32

shutterstock.com/askib

O jovem então voltou para a casa de seu pai, iria pedir para ser um de seus empregados, mas seu pai ao vê-lo de longe, sorriu, correu em direção a ele e o beijou. E o filho disse: "Pai, pequei contra o céu e contra ti, e não sou mais digno de ser chamado de seu filho.". No entanto, o pai imediatamente pediu aos seus servos para trazerem a melhor roupa, um anel e um calçado para ele, além disso pediu para preparem uma festa, pois seu filho tinha voltado e ele estava muito feliz. Enquanto isso, o filho mais velho estava no campo e quando viu toda a festa para seu irmão, ficou muito bravo com seu pai, já que ele havia ficado com o pai o tempo todo, ajudando e trabalhando e ele nunca havia dado uma festa por isso, e o irmão mais novo além de gastar todo o dinheiro de forma irresponsável, foi pra longe sem dar noticias. Mas seu pai explicou para ele com todo amor: "Meu filho, você sempre esteve comigo, o que é meu é seu, mas precisávamos celebrar a volta de seu irmão, porque ele estava perdido e foi achado.".

OUTUBRO 1

Honestidade

Lucas 16: 9 a 14

Jesus disse aos seus discípulos: "Usem a riqueza desse mundo para ganhar amigos. Quem é fiel no pouco, também é fiel no muito. Assim, se vocês não forem dignos de confiança em lidar com as riquezas desse mundo, quem confiará a vocês as verdadeiras riquezas? Nenhum servo pode servir a dois senhores, pois se dedicará a um e desprezará o outro, isso quer dizer que vocês não podem servir a Deus e ao dinheiro.".

freepik.com

A parábola do rico e de Lázaro

Lucas 16: 19 a 31

Um dia Jesus contou uma história para seus discípulos: "Havia um homem rico que gastava todo seu dinheiro com roupas caras e festas. Em frente ao portão de sua casa ficava um homem muito pobre, seu nome era Lázaro, ele estava cheio de feridas e com muita fome. Certo dia, os dois homens morreram, Lázaro foi levado pelos anjos para um lugar de muito felicidade e paz, mas o homem rico não. Então ele ficou muito triste, pois percebeu que viveu durante toda sua vida em pecado, sem ajudar os outros e que agora ele estava pagando por aquilo, e estava ainda mais triste pela sua família, que ainda vivia no pecado. Sabia que se eles não se arrependessem, quando morressem iriam para o mesmo lugar que ele.".

Dez leprosos são curados

Lucas 17: 11 a 19

Jesus estava a caminho de Jerusalém, quando dez leprosos foram em direção a ele e gritaram: "Jesus, Mestre, tem piedade de nós e nos cure!" e Jesus respondeu: "Vão até os sacerdotes para mostrar suas feridas a eles.". Enquanto eles iam, foram curados. Um deles quando percebeu, saiu louvando a Deus em voz alta, voltou a Jesus e se ajoelhando aos pés dele agradeceu. Este homem era samaritano. Mas Jesus perguntou: "Não eram dez? Onde foram os outros nove?" Mas nenhum dos outros voltaram para dar louvor a Deus, somente o estrangeiro, então ele lhe disse: "Levante-se e vá, a sua fé o salvou.".

A parábola da viúva que não desistiu

Lucas 18: 1 a 8

Um dia Jesus contou uma parábola aos discípulos, para mostrar a eles que deveriam sempre orar e nunca desanimar. Ele disse: "Em certa cidade havia um juiz que não obedecia a Deus e nem se importava com outros. Na mesma cidade havia uma viúva que sempre implorava ao juiz que fizesse justiça contra uma pessoa que lhe fez mal. Por algum tempo ele se recusou, mas depois de tanto ela insistir, o juiz fez justiça e resolveu o problema dela." então Jesus completou dizendo a eles: "Se o juiz injusto resolveu o caso da viúva, por acaso Deus não fará justiça aos seus escolhidos, que clamam a ele dia e noite? Continuará fazendo-os esperar?" Deus não se esquece dos que oram com fé, e ouve todos os seus pedidos.

OUTUBRO **5**

A parábola do fariseu e do cobrador de impostos

Lucas 18: 9 a 14

Algumas pessoas confiavam em sua própria justiça, então Jesus contou esta parábola: "Dois homens subiram ao templo para orar, um era fariseu e outro era cobrador de impostos, conhecido na época como publicano. O fariseu, em pé, orava em pensamento a Deus: 'Agradeço ao Senhor, por não ser ladrão, mentiroso, ou como esse publicano que está aqui. Jejuo duas vezes por semana e dou o dizimo de tudo que ganho.'. Já o publicano batendo no peito dizia: 'Deus, tem misericórdia de mim, pois sou pecador.'. Eu lhes digo que este homem, e não o outro, foi para a casa perdoado por Deus. Pois quem se engrandece será humilhado e quem se humilha será engrandecido.".

Zaqueu, o cobrador de impostos
Lucas 19: 1 a 10

Jesus entrou em Jericó, e começou a atravessar a cidade. Lá havia um homem rico chamado Zaqueu, chefe dos cobradores de impostos. Ele queria ver quem era Jesus, mas era muito baixinho e não conseguia vê-lo, por causa da multidão. Então correu e subiu em uma árvore, pois sabia que Jesus passaria por ali. Quando Jesus chegou naquele lugar lhe disse: "Zaqueu, desça depressa, quero ficar em sua casa hoje". Então ele desceu e o recebeu com muita alegria. Porém todo o povo começou a reclamar, dizendo que Jesus havia se hospedado na casa de um pecador. Mas Zaqueu se levantou e disse ao Senhor: "Estou dando metade dos meus bens aos pobres, e se eu roubar de alguém alguma coisa, lhe devolverei quatro vezes mais." e Jesus lhe respondeu com muita alegria: "Hoje houve salvação nessa casa!".

freepik.com

A parábola dos lavradores

Mateus 21: 33 a 43

Jesus contou uma parábola ao povo: "Certo homem plantou uma vinha, e deixou alguns lavradores tomando conta dela, pois precisava sair durante um longo tempo. Na época da colheita, ele enviou um servo até os lavradores, para que lhe entregassem sua parte da vinha, mas os lavradores bateram muito nele e o mandaram embora de mãos vazias. Então o homem mandou um segundo e depois um terceiro servo, mas fizeram a mesma coisa com os dois. O homem pensou e achou que se mandasse seu filho, eles o respeitariam e dariam sua parte da colheita. Porém ao verem o filho, os lavradores pensaram que se ele era o herdeiro de tudo, se o matassem poderiam ficar com toda a plantação, assim fizeram e o mataram." . Então Jesus perguntou ao povo o que esse homem faria, e responderam que ele mataria os lavradores e entregaria sua vinha a outros confiáveis que lhe dessem frutos. E Jesus disse ao povo: "O Reino de Deus será tirado daqueles que não derem fruto e será dado a um povo que dê os frutos do Reino". Quando os chefes dos sacerdotes e os fariseus ouviram aquilo sabiam que Jesus falava sobre eles e queriam prendê-lo, mas tinham medo da multidão, pois consideravam Jesus um profeta.

freepik.com

A oferta da viúva pobre

Lucas 21: 1 a 4

Um dia Jesus olhou e viu os ricos colocando muito dinheiro na caixa de oferta, e viu também uma viúva pobre colocar duas pequeninas moedas de cobre. Então Jesus disse: "Afirmo a vocês que esta viúva pobre colocou mais do que os outros, pois todos esses deram o que lhes sobrava, mas ela, da sua pobreza, deu tudo o que tinha para viver."

shutterstock.com/Adrian Niederhaeuser

O encontro de Jesus com Nicodemos

João 3: 1 a 16

Havia um fariseu chamado Nicodemos, uma autoridade entre os judeus. Ele veio a Jesus a noite, e disse: "Mestre, sabemos que o Senhor é o homem que Deus enviou para salvar as pessoas, pois ninguém pode realizar os sinais milagrosos que está fazendo, se Deus não estivesse contigo." em

resposta, Jesus declarou: "Digo-lhe a verdade: Ninguém pode ver o Reino de Deus, se não nascer de novo.". Sem entender direito, Nicodemos perguntou a ele, como alguém poderia nascer, sendo velho, já que não é possível entrar novamente na barriga da mãe. Mas Jesus lhe explicou que nascer de novo, significava ser batizado nas águas pelo Espírito Santo, e ainda disse a ele: "Porque Deus tanto amou o mundo que deu o seu Filho Unigênito, para que todo o que nele crer não pereça, mas tenha a vida eterna.".

Jesus conversa com uma samaritana

João 4: 1 a 26

shutterstock.com/askib

Jesus precisava voltar para Galileia, e era necessário passar por Samaria. Ao chegar lá Jesus estava cansado da viagem e sentou-se à beira do poço, era por volta do meio dia e estava muito calor. Então chegou uma mulher samaritana para tirar água do poço, Jesus lhe pediu um pouco de água, e ela respondeu: "Como o senhor, sendo judeu, pede a mim, um samaritana para beber água?" Naquela época os judeus não se davam bem com os samaritanos. Mas em seguida Jesus disse a ela: "Se você conhecesse o dom de Deus e quem lhe está pedindo água, você lhe teria pedido e ele lhe teria dado água viva, pois quem beber desta água terá sede outra vez, mas quem beber da água que lhe der nunca mais terá sede.". Ela ficou impressionada e então percebeu que quem falava com ela era Cristo.

Jesus cura o filho de um oficial

João 4: 46 a 54

Jesus foi mais uma vez para Caná de Galileia, onde havia transformado a água em vinho, e ali havia um oficial do rei, e seu filho estava muito doente em Carfanaum. Quando ele soube que Jesus estava em Galileia, procurou por ele e implorou para que curasse seu filho que estava quase morrendo. Então Jesus disse para ele ir, pois o filho dele iria viver, e o homem confiou na palavra de Jesus e partiu. A caminho de sua casa algumas pessoas vieram contar que seu filho estava curado, assim ele e todos em sua casa passaram a crer no Senhor.

A cura junto ao tanque de Betesda
João 5: 1 a 9

Algum tempo depois, Jesus subiu a Jerusalém para uma festa dos judeus. Lá existia um grande tanque de água chamado Betesta, onde muitas pessoas doentes ficavam esperando por anjos de Deus que mexessem as águas, pois o primeiro que entrasse era curado de qualquer doença que tivesse. Um dos que estavam ali era paralítico fazia trinta e oito anos, quando Jesus o viu deitado e percebeu que estava naquele estado há muitos anos, perguntou se ele queria ser curado, e o homem explicou que como não podia andar, todas vez que a água era agitada por um anjo, alguém passava na frente dele. Então Jesus olhou para ele e disse: "Levante-se! Pegue sua maca e ande" e imediatamente ele foi curado, e ficou muito feliz.

shutterstock.com/askib

OUTUBRO 13

Jesus, o pão da vida

João 6: 35 a 40

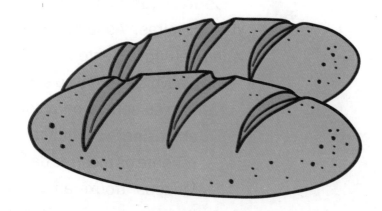

Um dia Jesus disse ao povo: "Eu sou o pão da vida. Aquele que vem até mim nunca terá fome, aquele que crê em mim nunca terá sede. Mas, como eu lhes disse, vocês me viram, mas ainda não creem. Pois desci do céu, não para fazer a minha vontade, mas para fazer a vontade daquele que me enviou. E esta é a vontade daquele que me enviou: que eu não perca nenhum dos que ele me deu para cuidar, e que todo o que olhar para o Filho e nele crer tenha a vida eterna, e eu o ressuscitarei no último dia". Jesus mais uma vez falava do plano de Deus para salvar a todos, e muitos ainda não conseguiam compreender o que ele queria dizer.

OUTUBRO 14

A mulher adúltera

João 8: 1 a 11

Certo dia, Jesus foi para o monte das Oliveiras. Ao amanhecer ele apareceu novamente no templo, e todo o povo se reuniu ao seu redor, então se sentou para começar a ensinar a multidão. De repente os mestres da lei e os fariseus trouxeram-lhe uma mulher que havia mentido para seu marido, ela estava saindo com outro homem, então disseram a Jesus que como a lei de Moisés mandava, eles deviam apedrejá-la. Fizeram isso, afim de ver como ele reagiria, mas Jesus se inclinou, começou a escrever no chão com os dedos e falou: "Se algum de vocês não tiver nenhum pecado, seja o primeiro a atirar uma pedra nela." e continuou escrevendo no chão. Cada um deles foi saindo aos poucos, até que sobrou somente a mulher e Jesus, que lhe perguntou: "Mulher, onde estão todos que te condenavam?" e ela respondeu que não havia ninguém, Jesus então declarou: "Eu também não a condeno. Agora vá e abandone sua vida de pecado.".

Jesus cura um homem cego de nascença

João 9: 1 a 12

Enquanto Jesus estava caminhando viu um cego de nascença, então seus discípulos lhe perguntaram: "Mestre, quem pecou: este homem ou seus pais para que ele nascesse cego?" e Jesus respondeu: "Nem ele e nem seus pais pecaram, mas isso aconteceu para que a obra de Deus acontecesse na vida dele" então misturou terra com saliva, colocou nos olhos do homem e em seguida mandou que ele lavasse seu rosto no tanque de Siloé. Depois de lavar, o homem passou a enxergar e espalhou a noticia a todos da região.

shutterstock.com/Mike Elliott

Os fariseus investigam a cura

João 9: 13 a 38

Quando os fariseus souberam o que tinha acontecido com o cego, mandaram buscá-lo porque não acreditavam que ele podia enxergar. Eles perguntaram várias vezes como aquilo tinha acontecido, e o homem explicou exatamente o que Jesus havia feito. Muito bravos com ele, o expulsaram da sinagoga. Jesus, ao saber que ele havia sido expulso foi se encontrar com ele e disse: "Agora que sabes quem eu sou, acredita em mim?" e ele respondeu: "Senhor, eu creio." então o adorou.

O pastor e seu rebanho

João 10: 1 a 10

Jesus disse: "Eu lhes garanto que aquele que não entra pela porta do curral das ovelhas, mas sobe por outro lugar, é ladrão. Aquele que entra pela porta é o pastor das ovelhas. O porteiro abre a porta, e suas ovelhas ouvem sua voz. Ele chama elas pelo nome e elas o seguem porque reconhecem sua voz, as ovelhas jamais seguiriam um estranho, elas fugiriam dele." então Jesus explicou o que queria dizer com aquela história: "Eu sou a porta das ovelhas, todos os que vieram antes de mim eram ladrões, mas as ovelhas não os ouviram. Eu sou a porta, quem entra por mim será salvo, já o ladrão só vem para roubar, matar e destruir. Eu vim para que tenham vida, e a tenham plenamente.".

shutterstock.com/askib

OUTUBRO 18

A morte de Lázaro

João 11: 1 a 16

Havia um homem chamado Lázaro, ele era de Betânia, e era irmão de Marta e Maria. Um dia Lázaro ficou muito doente, e suas irmãs pediram para avisarem Jesus sobre ele. Ao ouvir sobre Lázaro, Jesus disse: "Essa doença não acabará em morte, é para glória de Deus, e para que o Filho de Deus seja glorificado por meio dela.". Ele gostava muito dos três irmãos, no entanto, Jesus não foi até eles, e ficou onde estava por mais dois dias. Então depois disse aos discípulos que tinham de voltar para Judeia, eles ficaram surpresos, pois quando estiveram na Judeia pela última vez, os judeus tentaram matá-lo, mas Jesus disse que Lázaro tinha morrido, e que precisava ir para lá para que o povo reconhecesse o poder Deus e cresse Nele.

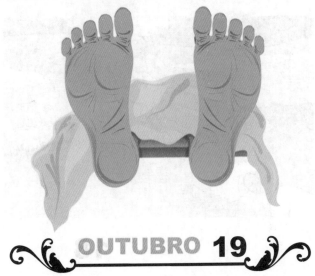

shutterstock.com/Andrei Verner

OUTUBRO 19

Lázaro ressuscita

João 11: 17 a 45

Ao chegar na cidade, Lázaro já havia morrido há quatro dias. Quando Marta encontrou-se com Jesus disse: "Senhor, se estivesse aqui meu irmão não teria morrido." e ele respondeu: "Lázaro ressuscitará, pois eu sou a ressurreição e a vida, aquele que crê em mim, ainda que morra viverá, você crê nisso?" ela respondeu que sim. Então Jesus pediu para que o levassem até onde Lázaro havia sido sepultado, e ordenou: "Lázaro, venha para fora!". Na mesma hora ele voltou a viver, e todos ficaram muito felizes, agradecidos ao Senhor, e os que não criam nele passaram a crer.

 OUTUBRO **20**

A parábola dos dois filhos

Mateus 21: 28 a 32

Jesus contou outra parábola aos povo: "Havia um homem que tinha dois filhos, então chegou no primeiro filho e disse para que ele fosse trabalhar na vinha, ele a principio disse que não queria, mas depois mudou de ideia e foi. O pai chegou ao outro filho e disse a mesma coisa, esse disse que iria, mas não foi. Qual dos dois fez a vontade do pai?" e eles responderam que o mais velho havia feito. E Jesus completou dizendo: "Muitos que eram pecadores estão entrando no Reino de Deus antes de vocês, pois eles acreditam e se arrependem primeiro.".

shutterstock.com/askib

A parábola do banquete de casamento

Mateus 22: 1 a 14

Jesus mais uma vez conta uma parábola: "O Reino dos céus é como um rei que preparou um banquete de casamento para seu filho, enviou seus servos para dizerem aos convidados que estava tudo pronto, mas eles não quiseram ir a festa. O rei então ficou muito bravo e pediu para que seus servos convidassem a todos que encontrassem na rua, disse que queria sua casa bem cheia. Quando a festa começou, o rei viu que havia um homem que estava sem uma roupa de festa e o expulsou do banquete." Jesus então concluiu: "Muitos são chamados, mas poucos são escolhidos.".

OUTUBRO **22**

A parábola das dez moças

Mateus 25: 1 a 13

shutterstock.com/asklib

Certo dia, Jesus contou essa parábola: "Dez moças pegaram sua lamparinas e saíram para se encontrar com o noivo. Cinco delas pegaram o óleo para suas lamparinas, mas outras cinco não. O noivo demorou para chegar, e todas ficaram com sono e adormeceram. Quando ele estava chegando, levantaram para encontrá-lo, então pegaram suas lamparinas, e as que não levaram o óleo pediram para que as outras emprestassem, mas elas disseram que não iriam emprestar, se não faltaria para elas. Então as que não tinham óleo, tiveram que sair para comprar, enquanto isso o noivo chegou, as que estavam preparadas foram com ele para a festa de casamento, e as portas foram fechadas. As que tinham ido comprar óleo ficaram para fora." Jesus concluiu a história dizendo: "Portanto, vigiem, porque vocês não sabem nem o dia e nem a hora que Deus virá.".

A parábola das dez moedas

Mateus 25: 14 a 30

Jesus contou outra parábola: "Um homem antes de ir viajar, chamou seus três servos e deu moedas para cada um administrar aquilo que tinha recebido. Quando o patrão voltou, ele chamou os três servos para saber o que cada um tinha feito. O primeiro tinha recebido cinco moedas, e devolveu dez. Já o segundo recebeu duas, e devolveu quatro moedas. O terceiro recebeu uma moeda, e como ficou com medo de negociar e perdê-la, guardou e devolveu ela para o patrão. Ele muito decepcionado disse ao terceiro servo que era preguiçoso e não soube administrar a moeda que ele havia lhe dado, e ainda mandou que desse sua única moeda ao que tinha dez" e Jesus então completou: "Pois a quem tem muito, receberá mais, mas quem não tem, o pouco que tem, lhe será tirado.".

freepik.com

O plano contra Jesus

Mateus 26: 1 a 5

Jesus estava contando aos seus discípulos sobre os sinais que receberiam quando fosse chegada a hora dele voltar para o Céu, e disse a eles: "Como sabem estamos a dois dias da Páscoa, e o Filho de Deus será entregue para ser crucificado". Naquele momento, os chefes dos sacerdotes e os líderes religiosos do povo se reuniram no palácio e juntos planejaram prender Jesus e depois matá-lo.

Jesus em Betânia

Mateus 26: 6 a 13

Estando Jesus em Betânia, na casa de um homem chamado Simão, chegou uma mulher com um frasco de perfume bem caro e derramou na cabeça do Senhor. Os discípulos ficaram indignados e perguntaram por que ela estava desperdiçando um perfume tão caro, já que poderia vender e dar o dinheiro aos pobres. Mas Jesus disse: "Ela fez uma boa ação comigo, e perfumou meu corpo para o sepultamento, pois os pobres sempre estarão com vocês, mas a mim vocês nem sempre terão.".

A conspiração de Judas

Mateus 26: 14 a 16

Um dos discípulos, Judas Iscariotes, foi até os chefes dos sacerdotes e lhes perguntou: "O que me darão se eu entregar Jesus para vocês?" e eles responderam o preço de trinta moedas de prata. A partir disso, Judas só estava esperando a oportunidade certa para entregar Jesus a eles.

shutterstock.com/askib

Jesus lava os pés dos discípulos

João 13: 1 a 17

Um pouco antes da festa de páscoa, Jesus se reuniu com todos os seus discípulos, inclusive Judas. Então tirou sua capa e colocou uma toalha em volta da cintura. Depois disso, derramou água numa bacia e começou a lavar os pés dos seus discípulos, enxugando-os com a toalha que estava em sua cintura. Quando chegou a hora de lavar os pés de Pedro, ele disse: "Pai, não posso deixar que você lave meus pés, eu que deveria lavar os seus." e Jesus disse: "Se não lavar seus pés, você não poderá ser meu seguidor." Pedro então deixou que ele lavasse, e ao terminar de lavar, Jesus disse: "Vocês me chamam de Mestre e Senhor, e com razão, pois eu sou. E sendo assim, eu lavei seus pés, e vocês deverão lavar os pés uns dos outros, eu dei o exemplo a vocês, para que vocês façam como eu fiz.".

freepik.com

A videira e os ramos

João 15: 1 a 16

Jesus disse aos seus discípulos: "Eu sou a videira verdadeira, meu Pai é o agricultor, e os ramos são vocês. Todo ramo que não dá fruto, ele corta, e todo que dá fruto ele poda, para que dê mais fruto ainda. Os ramos só dão frutos quando estão ligados a videira, então se vocês permanecerem em mim, e as minhas palavras permanecerem em vocês, pedirão o que quiserem e lhes será dado. Tenho dito essas palavras para que a minha alegria esteja em vocês e a alegria de vocês seja completa".

A ceia do Senhor

Mateus 26: 17 a 30

No dia da ceia, Jesus pediu para que os discípulos procurassem um certo homem e lhe dissessem: "O Mestre pediu para dizer que o tempo dele está próximo, e que vai celebrar a páscoa com a gente em casa." depois de feito isso, eles voltaram para organizar e preparar a ceia. Na hora do jantar, Jesus anunciou para os doze discípulos que um deles iria traí-lo, eles ficaram muito tristes e Judas falou: "Com certeza não serei eu Senhor." e Jesus responde: "É você que está dizendo.". Então pegou o pão, deu graças, e partiu um pedaço para cada, dizendo: "Comam, isto é o meu corpo." em seguida pegou o cálice de vinho, deu graças e ofereceu ao discípulos,

shutterstock.com/askib

Jesus avisa Pedro

Mateus 26: 31 a 35

A caminho do monte das Oliveiras, Jesus chamou os discípulos e disse: "Ainda esta noite todos vocês me abandonarão, assim como esta escrito: 'ferirei o pastor, e as ovelhas do rebanho serão dispersas', mas depois de ressuscitar, irei me encontrar com vocês. ". Então Pedro disse: "Ainda que todos te abandonem, eu nunca te abandonarei!" e Jesus respondeu: "Ainda essa noite, antes que o galo cante, três vezes você me negará." mas Pedro insistiu dizendo que jamais faria aquilo, assim como todos os outros discípulos.

shutterstock.com/askib

Jesus fortalece seus discípulos

João 14: 1 a 6

Jesus acalmou seus discípulos dizendo: "Não fiquem com o coração perturbado, creiam em Deus, creiam também em mim. Na casa de meu Pai vou preparar um lugar para cada um, isso quer dizer que vou voltar para buscá-los, para que vocês estejam onde eu estiver, vocês conhecem o caminho." mas eles falaram que não sabiam para onde ele ia, muito menos conheciam o caminho. Então Jesus respondeu: "Eu sou o caminho, a verdade e a vida. Ninguém vem ao Pai, a não ser por mim.".

NOVEMBRO 1

Jesus no Getsêmani

Mateus 26: 36 a 46

Em seguida, Jesus e os discípulos foram orar em um lugar chamado Getsêmani, ao chegarem lá Jesus pediu que os discípulos se sentassem e orassem, mas todos acabaram dormindo. Enquanto isso foi mais adiante orar ao Senhor: "Meu pai, se for possível, afaste de mim esse cálice, mas que seja feita a tua vontade e não a minha". Jesus orou a Deus, pois estava se sentindo triste, mas sabia que era preciso passar por tudo aquilo para salvar a humanidade, e também sabia que ressuscitaria no terceiro dia e se encontraria com Deus. Logo depois que orou, voltou ao lugar em que os discípulos estavam e disse: "Acordem todos e vamos em frente, chegou a hora, e aquele que irá me trair já está caminho.".

shutterstock.com/askib

NOVEMBRO 2

Jesus é preso

Mateus 26: 47 a 56

Enquanto Jesus ainda falava, chegou Judas Iscariotes, com ele estava uma multidão armada. Judas tinha combinado que aquele em que desse um beijo no rosto deveria ser preso, então beijou Jesus, e imediatamente o prenderam. Pedro tentou puxar Jesus, mas teve uma de suas orelhas cortada pela espada dos soldados. Então Jesus disse: "Guarde a espada, isso só está acontecendo para que se cumpra a vontade de Deus.". Ouvindo aquilo, todos os discípulos o abandonaram e fugiram.

Jesus diante do Conselho Superior

Mateus 26: 57 a 68

Aqueles que prenderam Jesus, o levaram para o Conselho Superior para ser julgado. Ali estavam reunidos mestres da lei, os líderes religiosos e os chefes dos sacerdotes. Eram pessoas que sempre estavam procurando uma maneira de acusar Jesus e condená-lo a morte, mas não acharam nada. Então um deles perguntou a Jesus: "Exijo que você jure pelo Deus vivo, se você é o Cristo, o Filho de Deus, diga!" e Jesus respondeu: "Você que está dizendo, mas eu digo a todos que chegará o dia em que verão o Filho do homem assentado à direita do Poderoso e vindo sobre as nuvens do céu.". Logo em seguida o homem muito irritado disse que ele estava mentindo, então alguns outros cuspiram e bateram em Jesus.

NOVEMBRO 4

Pedro nega Jesus

Mateus 26: 69 a 75

Enquanto Jesus estava no Conselho Superior, Pedro estava no pátio acompanhando tudo de longe, quando uma mulher chegou e disse: "Você também estava com Jesus!" e rapidamente ele negou, dizendo que não o conhecia. Então saiu em direção a porta e encontrou outra mulher que disse: "Você andava com Jesus, eu me lembro de você!" e novamente ele negou. Pouco tempo depois, outras pessoas o viram e disseram: "Você é um deles, o seu jeito de falar é igual aos dos discípulos." Pedro jurou que não conhecia Jesus. Então imediatamente o galo cantou, e Pedro começou a chorar muito, pois se lembrou que Jesus tinha avisado que ele o negaria três vezes antes que o galo cantasse.

shutterstock.com/askib

NOVEMBRO 5

A morte de Judas

Mateus 27: 3 a 5

Quando Judas, viu que Jesus estava sendo condenado a morte, sentiu-se muito culpado, e foi até aos chefes dos sacerdotes e aos líderes religiosos para devolver as trinta moedas que havia recebido pela traição e disse: "Pequei, pois trai um homem inocente" e eles responderam: "Quem se importa, a responsabilidade é sua!". Então ele jogou o dinheiro no chão e se enforcou pela culpa que sentia.

Jesus diante de Pilatos

Mateus 27: 11 a 14

De manhã cedo, Jesus foi colocado diante do governador Pilatos, e este lhe perguntou: "Você é o rei dos judeus?" e Jesus respondeu: "Você que está dizendo.". Os chefes dos sacerdotes e os líderes religiosos o acusavam, mas Jesus não respondia, então Pilatos perguntou a ele: "Você não ouve a acusação que eles estão fazendo contra você?" mas Jesus ficou calado, e Pilatos ficou muito impressionado com sua atitude.

shutterstock.com/askib

Jesus é condenado a morte

Mateus 27: 15 a 26

Na época da festa de páscoa, era costume do governador soltar um prisioneiro escolhido da multidão. Eles tinham um prisioneiro muito conhecido por todos que já tinha matado várias pessoas e era muito mal, seu nome era Barrabás. E quando Pilatos perguntou a multidão se queriam soltar Jesus ou Barrabás, todos gritaram pelo nome de Barrabás, e pediram para que o governador crucificasse Jesus. Pilatos sabia que ele era um homem inocente, por isso lavou sua mãos em sinal de que aquilo não era da sua vontade, e que a responsabilidade da morte dele seria do povo. Logo em seguida, soltou Barrabás e mandou crucificarem Jesus.

shutterstock.com/askib

Os soldados zombam de Jesus

Mateus 27: 27 a 30

Pilatos mandou seus soldados chicotearem Jesus, então eles o levaram até o palácio da casa do governador e todos se reuniram ao seu redor. Tiraram as roupas de Jesus e colocaram uma capa vermelha, depois fizeram uma coroa de espinhos e colocaram na cabeça dele. Colocaram uma vara em sua mão direita, e todos se ajoelharam diante de Jesus e começaram a zombar dele dizendo: "Viva, o rei dos judeus!". Em seguida cuspiram e bateram muito nele, então tiraram sua capa, vestiram sua roupas e o levaram para ser crucificado.

A crucificação

Mateus 27: 32 a 44 e Lucas 23: 33 a 43

freepik.com

No caminho para a cruz, os soldados encontraram um homem chamado Simão e o forçaram a ajudar Jesus a levar sua cruz, enquanto caminhavam queriam dar a Jesus vinho misturado com fel, mas depois de provar Jesus se recusou a beber. Quando chegaram no calvário, lugar onde as pessoas eram crucificadas, pregaram suas mãos na madeira da cruz, rasgaram suas roupas e sobre sua cabeça escreveram: "Este é Jesus, rei dos judeus.". Ao lado de sua cruz, mais dois prisioneiros eram crucificados, eles eram ladrões e um deles disse a Jesus: "Se é Filho de Deus como diz, salve você e a nós!" enquanto o outro falou: "Você não teme a Deus? Nós somos ladrões, mas ele é inocente!" em seguida disse a Jesus: "Lembre-se de mim quando entrar no seu Reino." e Jesus lhe respondeu: "Lhe garanto que hoje mesmo você estará comigo no paraíso.".

A morte de Jesus

Lucas 23: 44 a 49

Já era quase meio-dia, e as trevas cobriram a terra até as três horas da tarde, e o sol deixou de brilhar. Nesse momento o véu do templo se rasgou ao meio, e Jesus gritou em voz alta: "Pai, nas tuas mãos entrego o meu espírito.", depois de dizer isso, Jesus morreu. Um dos soldados que estava próximo de Jesus ao vê-lo disse: "Certamente, esse homem era Filho de Deus.". Toda a multidão começou a se afastar, mas os que conheciam e eram próximos de Jesus, inclusive as mulheres que o haviam seguido desde a Galileia, estavam ali chorando por ele.

shutterstock.com/askib

O sepultamento

Mateus 27: 57 a 61

Ao cair a tarde chegou um homem rico, chamado José, ele era um dos seguidores de Jesus. José foi até Pilatos e pediu o corpo de Jesus para que fosse sepultado, e o governador aceitou. José pegou o corpo dele, envolveu-o em um lençol e o colocou dentro de um túmulo com uma pedra grande e muito pesada na entrada. Depois de sair, chegaram Maria, mãe de Tiago e José, e Maria Madalena que lavou os pés de Jesus com suas lágrimas, as duas permaneceram em frente ao túmulo de Jesus chorando por sua morte.

A guarda do túmulo

Mateus 27: 62 a 66

No dia seguinte, os chefes dos sacerdotes e os fariseus foram até Pilatos e disseram: "Governador, enquanto Jesus estava vivo, dizia que ressuscitaria, por isso coloque guardas em frente ao seu túmulo, afim de que seus discípulos não venham roubar seu corpo e digam que ele ressuscitou." então Pilatos concordou, e mandou seus soldados vigiarem o túmulo de Jesus.

A ressurreição

João 20: 1 a 9

No terceiro dia da morte de Jesus, Maria Madalena chegou bem cedo no túmulo de Jesus e viu que a pedra que estava na entrada havia sido removida. Então saiu correndo ao encontro de Pedro e outro discípulo e disse: "Tiraram o Senhor do túmulo, e não sei onde colocaram.". Então saíram correndo e ao chegarem viram que dentro do túmulo só havia o lençol e mais nada. Eles ainda não haviam entendido que conforme Jesus havia falado, ele ressuscitaria.

shutterstock.com/askib

Jesus aparece a Maria Madalena

João 20: 2 a 18

Os discípulos voltaram para casa, porém Maria ficou na entrada do túmulo chorando. Quando de repente viu dois anjos vestidos de branco, que lhe perguntaram: "Mulher, porque está chorando?" e Maria disse que chorava porque tinham levado o corpo de Jesus embora, enquanto ela estava falando, Jesus apareceu em sua frente, mas ela não o reconheceu. E ele fez a mesma pergunta a ela, Maria pensando que era o jardineiro, disse que chorava pois haviam levado o corpo de Jesus, e ele disse: "Maria, sou eu! Vá e conte aos discípulos que estou vivo, estou voltando para o meu Pai e Pai de vocês." ela muito feliz o abraçou e saiu correndo para contar a grande novidade.

shutterstock.com/askib

O relato dos soldados

Mateus 28: 11 a 15

Depois que o anjo apareceu para Maria, os soldados saíram correndo para contar o que tinha acontecido aos chefes dos sacerdotes. Então eles se reuniram com os líderes religiosos e ofereceram aos soldados dinheiro para que mentissem, e falassem para todos que durante a noite os discípulos de Jesus vieram e roubaram o corpo dele, enquanto eles estavam dormindo. Os soldados então aceitaram o dinheiro e começaram a espalhar aquele boato para todos.

Jesus aparece aos discípulos

João 20: 19 a 22

Ao cair a tarde daquele dia, os discípulos se encontravam reunidos, de portas trancadas, com medo dos líderes dos judeus, quando Jesus apareceu e disse: "Que a paz esteja com vocês." então mostrou as cicatrizes dos pregos em suas mãos. Eles ficaram muito felizes e abraçaram Jesus, que disse: "Recebam o Espírito Santo.".

Jesus aparece a Tomé

João 20: 24 a 29

Quando Jesus apareceu aos discípulos, Tomé não estava, e quando eles lhe contaram que viram o Senhor, ele não acreditou, e disse que só acreditaria se colocasse o dedo dele na cicatriz das mãos de Jesus. Depois de uma semana, os discípulos estavam ali, junto com Tomé, de portas trancadas, quando Jesus apareceu novamente e disse a Tomé: "Coloque seu dedo nas minhas mãos, então pare de duvidar e creia" e ele respondeu: "Senhor meu e Deus meu, é você!". Jesus fala para ele que só acreditou porque o viu, e afirmou: "Felizes são os que não viram e acreditaram."

Jesus e a pesca maravilhosa
João 21: 1 a 14

Ao anoitecer alguns dos discípulos foram pescar no mar da Galileia, mas não conseguiram pescar nada. De manhã, Jesus estava na praia, mas eles não o reconheceram, e lhes perguntou: "Vocês tem algo para comer?" eles responderam que não, então Jesus pediu para que lançassem as redes do lado direito do barco que conseguiriam pescar dessa vez, eles obedeceram e quando foram puxar, as redes estavam tão cheias que quase arrebentaram. Logo Pedro percebeu e gritou a todos que aquele era Jesus. Em seguida, trouxeram os peixes que conseguiram até a praia, ao chegarem lá, viram uma fogueira, peixes sobre brasas e um pouco de pão. Jesus então disse: "Tragam os peixes que pegaram e vamos comer." ele repartiu o pão e os peixes e todos comeram juntos.

NOVEMBRO 19

Jesus volta para o Pai

Lucas 24: 50 a 53

No outro dia, Jesus levou seus discípulos até Betânia, ergueu as mãos sobre eles e abençoou a cada um. Enquanto ainda estava a abençoá-los, ele os deixou e foi levado ao céu. Então eles o adoraram e voltaram para Jerusalém com muita alegria louvando a Deus.

shutterstock.com/Eireann

A escolha de Matias

Atos 1: 12 a 26

Depois que os discípulos chegaram a Jerusalém, se reuniram para orar. Eles já não eram mais doze, agora haviam sobrado somente onze deles, já que Judas não pertencia mais ao grupo. Pedro então afirmou que era preciso escolher um dos homens que estiveram com eles em toda essa jornada que passaram, para que fizesse parte oficialmente do grupo. Os discípulos indicaram dois nomes: José e Matias, eles oraram e então tiraram na sorte, e Matias foi escolhido para fazer parte do grupo dos apóstolos.

shutterstock.com/Lagunculus

A vinda do Espírito Santo

João 14: 15 a 21 e Atos 2: 1 a 47

Antes de subir aos céus Jesus prometeu que quando voltasse para casa de seu Pai, deixaria na terra o Espírito Santo, que estaria com aqueles que confiam e creem até a sua volta. Então, chegando o dia de Pentecostes, todos os discípulos se encontravam reunidos e de repente, veio do céu um som, como de um vento muito forte, e encheu toda a casa em que eles estavam. Viram então algo que se parecia com chamas de fogo sobre cada um deles. Era o Espírito Santo que fez com que todos começassem a falar em outras línguas. Pedro foi muito tocado, e começou a pregar sobre a palavra de Deus em muitos lugares, e diversas pessoas se converteram através da vida dele.

shutterstock.com/askib

A cura de um mendigo aleijado

Atos 3: 1 a 10

Certo dia Pedro e João estavam subindo ao templo para orar, quando um homem bem pobre e aleijado pediu esmolas a eles na entrada do templo. Pedro disse para ele: "Olhe para nós, não temos prata nem ouro, mas o que tenho te dou, em nome de Jesus Cristo, ande!" então segurou a mão dele e o ajudou a se levantar e imediatamente o homem começou a andar. Todos juntos entraram no templo para agradecer e orar a Deus, e todo povo ficou admirado ao ver que o homem que sempre pedia esmola, agora estava andando.

shutterstock.com/Tomacco

Pedro e João são presos

Atos 4: 1 a 22

Um dia, enquanto Pedro e João estavam falando sobre a palavra de Deus ao povo, chegaram os sacerdotes e o capitão da guarda do templo. Eles estavam muito bravos, porque os discípulos estavam ensinando ao povo e falando sobre Jesus e sua ressurreição. Então agarraram os dois e os prenderam, mas no dia seguinte tiveram que libertá-los, pois não tinham feito nada de errado. Eles estavam sendo tocados pelo Espírito Santo e levando a palavra de Deus a vários lugares, e muitas pessoas creram no que eles estavam falando, e isso incomodava cada vez mais o Conselho Superior.

Os apóstolos curam muitos doentes

Atos 5: 12 a 16

Os apóstolos realizavam muitos sinais e maravilhas entre o povo. Em um número cada vez maior, homens e mulheres acreditavam no Senhor, e o povo levava os doentes as ruas com a esperança que Pedro pudesse aparecer para curá-los. Vinham multidões de outras cidades e povoados, para que seus doentes também pudessem ser curados. E graças ao poder que Jesus deu aos seus discípulos, todos foram curados.

shutterstock.com/npine

Os apóstolos são perseguidos

Atos 5: 17 a 42

freepik.com

Os sacerdotes, e todos os seus companheiros, ficaram cheios de inveja do que os discípulos estavam fazendo, e por isso mandaram prender os apóstolos. Porém durante a noite, um anjo do Senhor abriu as portas da prisão e disse: "Vão para o templo e falem ao povo sobre a palavra de Deus. Ao amanhecer, os discípulos já estavam no pátio pregando e ensinando ao povo. Quando os sacerdotes viram aquilo, não entenderam como tinham saído da prisão, já que as portas estavam fechadas e os guardas vigiando. Então mandaram trazê-los de volta, quando chegaram, muitos deles queriam matá-los, mas havia um chefe que não permitiu, pois achou que o povo pudesse se revoltar contra eles. Os sacerdotes e seus companheiros resolveram que iriam chicoteá-los e ameaçá-los para que não falassem mais sobre Jesus e a palavra de Deus, mas durante todos os dias os discípulos continuaram indo a vários lugares falar do amor de Deus para todas as pessoas.

A escolha dos sete
Atos 6: 1 a 7

Ainda havia muitas pessoas que precisavam ouvir da palavra de Deus, por isso, os doze apóstolos se reuniram, e decidiram que iriam escolher sete homens, cheios de Espírito e sabedora para poderem ajudá-los. Todos se agradaram da decisão, então escolheram Estevão, homem cheio de fé e Espírito Santo, chamaram também Felipe, Prócoro, Nicanor, Timom, Pármenas e Nicolau. Assim a palavra de Deus se espalhou e cresceu rapidamente o número de discípulos em Jerusalém.

NOVEMBRO 27

A prisão de Estevão

Atos 6: 8 a 15 e 7: 1 a 59

shutterstock.com/npine

Estevão, homem cheio de graça e do poder de Deus, realizava grandes maravilhas e sinais entre o povo. Mas muitas pessoas não gostavam do que ele estava fazendo, essas pessoas eram tão más que pagaram alguém para contar mentiras sobre Estevão. Dessa forma, o Conselho Superior teve motivos para prendê-lo. Então um sacerdote perguntou se aquilo que falavam sobre ele era verdade, e Estevão respondeu falando somente sobre coisas de Deus e sua palavra. Ouvindo aquilo, ficaram furiosos, mas ele estava cheio do Espírito Santo, e quando levantou os olhos para o céu, viu a glória de Deus, porém sem se importar com que Estevão falava, aquelas pessoas más o arrastaram para fora, e começaram a apedrejá-lo, nesse momento ele só orava, pois sabia que iria se encontrar com Jesus, e ainda pediu para que Deus perdoasse aquelas pessoas dizendo que elas não sabiam o que faziam.

Saulo persegue a igreja

Atos 8: 1 a 3

Saulo, foi uma das pessoas que assistiu a morte de Estevão, e foi um dos responsáveis pela grande perseguição contra a igreja em Jerusalém. Saulo detestava a igreja e perseguia os cristãos, ele arrastava homens e mulheres para prisão quando os ouvia falando sobre Deus

shutterstock.com/oakkii

NOVEMBRO 29

Filipe e Simão em Samaria

Atos 8: 4 a 13

As pessoas que falavam sobre Deus se espalharam entre as regiões, um deles era Filipe, que foi até Samaria falar do amor de Cristo para as pessoas. Lá em Samaria, vivia um homem que se chamava Simão que praticava feitiçaria, e todo o povo lhe dava muita atenção, desde o rico até o mais pobre. Mas ao ouvir a palavra da salvação que Filipe trazia ao povo, Simão se converteu e passou a acompanhá-lo. Naquele mesmo dia, muitas pessoas foram batizadas e passaram a amar a palavra de Deus.

Filipe e o etíope

Atos 8: 26 a 40

Um anjo do Senhor disse a Filipe: "Vá para o sul, para a estrada deserta que desce de Jerusalém a Gaza. Ele se levantou e partiu, no caminho encontrou um etíope, era um oficial muito importante responsável por todos os tesouros da rainha da Etíopia. Ele tinha vindo de Jerusalém, para adorar a Deus e sentando em sua carruagem lia o livro do profeta Isaias. O Espírito disse para Filipe se aproximar da carruagem para conversar com o homem, este começou a ler para ele e começou a fazer perguntas sobre o livro. Então Filipe lhe explicou que a passagem que estava lendo era sobre Jesus, e contou a ele sobre o sofrimento que Cristo passou para salvar todas as pessoas. Em seguida o homem pediu para ser batizado, pois acreditava em Jesus e depois disso foi embora feliz. Filipe então continuou sua viagem anunciando o evangelho por onde fosse.

shutterstock.com/Anna Yefimenko

DEZEMBRO 1

A conversão de Saulo

Atos 9: 1 a 9

Enquanto isso, Saulo ainda perseguia os cristãos e desejava a morte dos discípulos. Então, ele foi até o grande sacerdote e pediu uma carta autorizando ele, a levar mais homens e mulheres que pregassem sobre Jesus para a prisão de Jerusalém. Depois que conseguiu, seguiu para região de Damasco, de repente no caminho uma luz muito forte vinda do céu brilhou, ele caiu no chão sem enxergar nada e ouviu uma voz que lhe dizia: "Saulo, Saulo, por que você me persegue?" e ele perguntou da onde vinha aquela a voz e quem estava falando. Então a voz respondeu: "Eu sou Jesus, a quem você persegue. Levante-se e vá para a cidade, que alguém lhe dirá o que fazer.". Os homens que estavam com Saulo, ouviam a voz mas não viam ninguém, então eles tiveram que levá-lo para a cidade, pois quando Saulo abriu os olhos não conseguia mais enxergar.

Saulo e Ananias

Atos 9: 10 a 19

Em Damasco havia um discípulo chamado Ananias, e através de uma visão, o Senhor falou para ele ir para até a casa de Judas, pois lá encontraria um homem chamado Saulo da cidade de Tarso. Ananias logo respondeu a Deus que só tinha ouvido falar mal daquele homem e que iria fazer em Damasco o que tinha feito com os cristãos em Jerusalém. Mas o Senhor disse: "Vá, e ore para que ele volte a enxergar, eu o escolhi para levar a minha palavra a muitas pessoas." Ananias obedeceu e foi até casa de Judas, e fez Saulo voltar a enxergar, ele ficou impressionado com o poder de Deus, e logo em seguida foi batizado.

freepik.com

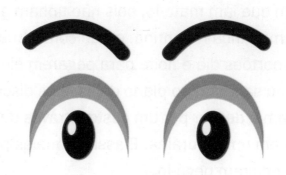

DEZEMBRO 3

Saulo em Damasco

Atos 9: 19 a 25

Saulo passou vários dias com os discípulos em Damasco, e logo começou a pregar nas sinagogas que Jesus é o Filho e Deus. Todos ouviam e ficavam impressionados quando percebiam que Saulo, aquele que destruía igrejas e perseguia os cristãos, agora falava sobre a palavra de Deus. Passados alguns dias, algumas pessoas se juntaram e decidiram que iam matá-lo, pois não tinham gostado daquela mudança repentina, então começaram a vigiar os portões dia e noite para pegarem ele, porém Saulo ficou sabendo do plano deles, e os discípulos o ajudaram a descer por um cesto, através de uma abertura em uma muralha. E assim aquelas pessoas não conseguiram pegá-lo.

DEZEMBRO 4

Saulo em Jerusalém
Atos 9: 26 a 31

Mais tarde, Saulo foi para Jerusalém e tentou se reunir com alguns seguidores de Jesus, mas todos estavam com medo dele, não acreditavam que ele realmente tinha mudado. Então um homem chamado Barnabé o levou até os apóstolos e lhes contou a história de como Saulo havia encontrado o Senhor, e também de como ele havia pregado a palavra de Deus corajosamente em Damasco. Dessa forma, todos o receberam e juntos pregaram sobre Jesus. Porém novamente algumas pessoas começaram a se juntar para matar Saulo, então seus amigos o levaram para Tarso.

Eneias e Tabita

Atos 9: 32 a 43

Viajando por toda parte, Pedro foi visitar a cidade de Lida. Ali encontrou um paralítico chamado Eneias, ele tinha problemas para andar já faziam oito anos, e Pedro lhe disse: "Eneias, Jesus Cristo irá curá-lo! Levante-se e vá para casa." então ele se levantou e saiu andando, todos que estavam na cidade ficaram admirados e passaram a acreditar no Senhor. Perto de Lida, existia uma cidade chamada Jope, e lá morava uma cristã que se dedicava em fazer o bem para os outros e dar esmolas a quem precisava, seu nome era Tabita. Porém naqueles dias, ela ficou muito doente e acabou morrendo, quando seus amigos ficaram sabendo que Pedro estava em Lida, o chamaram para que pudesse ir até Jope. Ao chegar, pediu para que todos saíssem do quarto onde ela estava, então se ajoelhou, orou e disse: "Tabita, levante-se!" ela abriu os olhos e começou a andar pelo quarto. Mais uma vez todos ficaram admirados com o poder de Senhor e passaram a crer na palavra de Deus.

freepik.com

Cornélio, o oficial do exército

Atos 10: 1 a 48

Na cidade de Cesareia, havia um homem chamado Cornélio, ele era oficial do exército. Cornélio e toda sua família acreditavam muito em Deus, e um dia enquanto estava orando, um anjo apareceu para ele e disse: "Cornélio, mande alguns dos seus homens até Jope para trazerem Pedro para cá. Então ele mandou seus homens irem buscá-lo, e quando chegaram, Pedro já sabia que eles viriam, pois Deus também havia falado com ele. Enquanto isso, na casa de Cornélio, muitas pessoas esperavam Pedro para ouvirem a palavra de Deus. Quando ele chegou, Cornélio lhe contou sobre o anjo, e Pedro lhe falou sobre o poder de Deus e o amor que ele tem pelas pessoas, depois disso, muitas pessoas que estavam ali foram batizadas.

Pedro é milagrosamente libertado da prisão

Atos 12: 1 a 19

shutterstock.com/askib

Naquela época, o rei Herodes perseguia, maltratava e mandava prender aqueles que acreditavam em Deus. No dia da festa de pães sem fermento, uma festa bem tradicional daquela época, ele aproveitou a ocasião e mandou prender Pedro. Para que ele não fugisse, o rei colocou vários guardas perto de sua cela para o vigiarem, porém durante a noite, enquanto todos dormiam, Deus enviou um anjo para libertá-lo, ele acordou Pedro e disse para que se levantasse depressa, nesse momento as algemas que estavam em seus punhos se quebraram e caíram no chão, e a portas se abriram para que ele pudesse sair e fosse direto para casa de Maria, mãe de Marcos. Quando o rei Herodes ficou sabendo que ele tinha fugido, ficou muito bravo e mandou matar todos os guardas que estavam vigiando a cela.

DEZEMBRO 8

A missão de Barnabé e Saulo

Atos 13: 4 a 12

Enviados pelo Espírito Santo, Barnabé e Saulo que também era conhecido como Paulo, foram para Chipre e Marcos os ajudou a pregar a palavra de Deus para

as pessoas. Juntos viajaram um longo caminho até que chegaram a Pafos, ali morava o governador que queria ouvir a palavra de Deus e por isso ao saber que eles estavam lá, mandou os chamar. Porém naquele lugar, existia um homem chamado Elimas, ele era assessor do governador, praticava magias e era um falso profeta, e quando soube que o governador queria conhecê-los, tentou impedi-los. Mas Paulo ao ficar sabendo foi até ele e disse: "Por você só desejar maldade e enganar os outros ficará sem enxergar por algum tempo.". Quando o governador viu tudo aquilo, ficou impressionado e passou a acreditar em Deus e em sua palavra.

Paulo em Antioquia da Pisídia

Atos 13: 13 a 52

Da cidade de Pafos, Paulo e seus companheiros viajaram até Perge, ali Marcos os deixou e voltou para Jerusalém, e Paulo e Barnabé seguiram viagem até Antioquia da Pisídia. Ao chegarem, foram se apresentar na sinagoga, e os chefes de lá pediram para que trouxessem uma mensagem de encorajamento para o povo. Então Paulo começou a falar sobre a palavra e o amor de Deus pelas pessoas e todos prestaram muita atenção, quando eles estavam indo embora, o povo pediu para que eles voltassem. No sábado seguinte, eles voltaram e Paulo pregou novamente, muitos dos que estavam lá se converteram, porém outras pessoas não acreditaram em nada do que ele falou, ficaram com inveja e começaram a expulsá-los. Como Paulo e Barnabé já tinham cumprido a missão de levar a palavra de Deus para aquele povo, sacudiram o pó dos seus pés em protesto contra as pessoas que os expulsaram e foram para Icônio, cheios de alegria e do Espírito Santo.

Em Icônio, Listra e Derbe

Atos 14: 1 a 20

Quando chegaram em Icônio, muitas pessoas não acreditaram no que Paulo e Bernabé diziam a respeito de Deus, e por isso começaram a persegui-los, então tiveram que fugir para outra cidade. Eles foram para Listra, lá havia um homem aleijado e que acreditava na palavra de Deus, Paulo chegou até ele e disse: Levante-se, fique em pé!". O homem passou a andar e a multidão ao redor ficou muito admirada, e acharam que Paulo e Barnabé eram deuses, então eles explicaram que eram humanos como eles, e que Deus usava a vida deles para curar pessoas, mas somente o Senhor tinha o poder, a honra e glória. Enquanto o povo tentava entender como aquilo era possível, outras pessoas que não gostavam de Paulo começaram a apedrejá-lo, e o arrastaram para fora da cidade achando que estava morto. Porém ele não havia morrido, ainda voltou para cidade, dormiu mais uma noite lá e pela manhã partiu com Barnabé para Derbe.

DEZEMBRO 11

O retorno para Antioquia da Síria

Atos 14: 21 a 28

shutterstock.com/Joe Mercier

Paulo e Bernabé falaram sobre Deus e suas maravilhas em Derbe e fizeram muitos seguidores de Cristo, depois voltaram para Listra, Icônio e Antioquia para fortalecer os novos seguidores e encorajá-los a permanecer na fé. De lá foram para Perge, depois Atália, e de Atália voltaram para a Antioquia, então se reuniram com a pessoas na igreja e contaram tudo o que Deus tinha feito através da vida deles e quantas pessoas haviam se convertido nessas viagens missionárias.

DEZEMBRO 12

Paulo, Silas e Timóteo

Atos 15: 36 a 41 e 16: 1 a 5

Passado algum tempo, Paulo quis fazer novamente suas viagens missionárias junto com Barnabé para os lugares que já tinham ido, para visitar os novos seguidores de Cristo, ver como estavam, e para que mais pessoas pudessem ouvir sobre a palavra de Deus. Porém Barnabé queria levar Marcos, e Paulo disse que não queria levá-lo, já que ele não havia participado de toda a viagem com eles. Então se desentenderam, assim Barnabé e Marcos foram para Chipre, e Paulo chamou Silas, para seguirem viagem. Eles foram para Derbe e na sequência para Listra, onde conheceram um homem chamado Timóteo, ele era muito fiel a Deus e todos na região gostavam dele, por causa disso, Paulo o chamou para sua viagem missionária, e os três juntos foram visitando todas as cidades, e assim as igrejas foram fortalecidas na fé e cresceram em número a cada dia.

shutterstock.com/Lanaart

DEZEMBRO 13

A conversão de Lidia em Filipos

Atos 16: 9 a 15

Mais tarde, Paulo teve uma visão em que um homem que estava em pé e lhe implorava para que fosse até a Macedônia e ajudasse o povo de lá, Paulo entendeu que era Deus falando com ele e partiu com seus companheiros para Filipos na Macedônia. Chegando lá foi para a beira do rio para orar, mas encontraram algumas mulheres, e uma delas era vendedora de tecidos, seu nome era Lídia, e Deus abriu seu coração para ouvir a mensagem de Paulo, ela então foi batizada, assim como toda a sua família, e Lídia fez questão de Paulo e seus amigos se hospedarem na casa dela, como agradecimento a tudo o que tinham feito.

DEZEMBRO 14

Paulo e Silas na prisão

Atos 16: 16 a 40

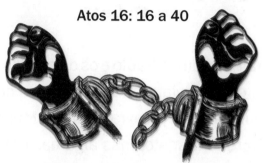

Certo dia, ainda em Filipos, Paulo e Silas estavam indo para um lugar de oração, quando encontraram uma escrava que tinha um espírito mal que a fazia adivinhar o futuro, ela ganhava muito dinheiro para os seus senhores com aquilo. Porém Paulo ao vê-la daquela maneira, pediu para que Deus curasse sua vida, e o espírito foi embora, seus senhores ficaram muitos bravos com eles e os acusaram diante das autoridades, dizendo que estavam perturbando a cidade e fazendo coisas contra a lei. Então Paulo e Silas foram presos, mas a noite enquanto oravam, o chão e as paredes da cadeia começaram a tremer e suas correntes se soltaram. O carcereiro ficou muito assustado mas eles o acalmaram, então o carcereiro perguntou a eles como podia ser salvo, e eles responderam que bastava crer no Senhor como Salvador de sua vida. Paulo e Silas foram libertados, e batizaram não só o carcereiro mas como todos de sua família.

DEZEMBRO 15

Em Tessalônica e Bereia

Atos 17: 1 a 15

Passado algum tempo Paulo e os discípulos foram para Tessalônica, onde havia uma sinagoga, ao chegarem lá oraram e anunciaram a palavra de Deus. Muitas pessoas passaram a crer em Cristo, mas algumas outras ficaram com inveja e começaram a maltratá-los, e uma confusão se iniciou na cidade. Então ao anoitecer Paulo e Silas foram para Bereia, o povo de lá era mais educado e os recebeu muito melhor, mas quando os tessalonicenses ficaram sabendo que estavam lá, foram para Bereia e começaram a fazer uma nova confusão. Paulo então teve de seguir para Atenas, Silas e Timóteo ficaram em Bereia, mas logo depois foram encontrá-lo.

DEZEMBRO 16

Atenas, Corinto e Antioquia

Atos 17: 16 a 34 e 18: 1 a 22

Em Atenas, enquanto uns riam do que Paulo falava, outros realmente se interessavam pelo assunto. Mas como muitos o condenavam por suas crenças, decidiu ir para Corinto, lá ficou hospedado na casa de Tito Justo, um homem muito temente a Deus e que morava ao lado da sinagoga. Quando Silas e Timóteo chegaram, Paulo se dedicou somente para falar a palavra de Deus. Certa noite, enquanto todos dormiam, Deus através de uma visão disse a ele para continuar pregando e anunciando o evangelho, pois nenhum mal aconteceria a ele. Paulo seguiu as ordens do Senhor e ficou um ano e meio em Corinto, durante esse tempo, sofreu muitas provações que dificultaram sua missão, mas ele não desistiu e seguiu seu caminho. Mais tarde, ele passou um tempo em Éfeso, depois foi para Jerusalém e por fim, foi para Antioquia da Síria.

DEZEMBRO 17

Apolo, um homem temente a Deus

Atos 18: 23 a 28

Depois de passar um tempo na Antioquia, Paulo partiu dali e viajou por toda a região de Galácia e da Frígia, fortalecendo todos os discípulos. Enquanto isso, um judeu chamado Apolo, nascido em Alexandria foi para Éfeso. Ele era muito inteligente, conhecia a palavra de Deus e pregava sobre Cristo com muita alegria para as pessoas. Um dia resolveu ir para Acaia, seus amigos da igreja o encorajaram e escreveram uma carta aos discípulos de lá pedindo que o recebessem. Chegando lá Apolo foi muito usado por Deus, espalhou a mensagem de Cristo a todas as pessoas, e depois viajou para Corinto.

freepik.com

Paulo em Éfeso

Atos 19: 1 a 22

Enquanto Apolo estava em Corinto, Paulo seguiu viagem para Éfeso, porém ao chegar lá muitas pessoas tinha dúvidas sobre o batismo e não conheciam o Espírito Santo. Então Paulo esclareceu as dúvidas e os batizou. Mais tarde quando viu que a palavra de Deus se espalhava e se fortalecia na cidade, decidiu ir para Jerusalém, passando por Macedônia e Acaia. Por fim ele e seus discípulos se encontraram em Trôade, antes de voltarem para Jerusalém.

DEZEMBRO 19

A ressurreição de Êutico em Trôade

Atos 20: 7 a 16

Paulo se reuniu com algumas pessoas e começaram a falar sobre o trabalho missionário, na janela da sala em que estavam reunidos, havia um moço chamado Êutico, porém Paulo falou por tanto tempo, que ele adormeceu e caiu da janela do terceiro andar. Quando correram para socorrê-lo, ele já estava morto, mas Paulo o abraçou e disse: "Não se preocupem, ele está vivo!" o menino então levantou e todos ficaram admirados com o poder de Deus. Mais tarde Paulo e seus companheiros seguiram sua viagem para Jerusalém, passando antes por Mileto.

Paulo se despede dos presbíteros

Atos 20: 17 a 35

Quando Paulo chegou em Mileto, mandou chamar os presbíteros da igreja de Éfeso e lhes disse: "Vocês sabem como vivi todo o tempo em que estivemos juntos, servi ao Senhor com toda humildade e com muitas lágrimas, sendo várias vezes provado por planos malvados daqueles que não gostam de Deus. Mas fiz tudo o que o Senhor me pediu e agora vou seguir viagem para Jerusalém para continuar minha missão. E se lembrem que: mais feliz é o que dá, do que o que recebe".

DEZEMBRO 21

A caminho de Jerusalém

Atos 21: 1 a 15

shutterstock.com/VectorPixelStar

No caminho de Jerusalém, Paulo passou por vários lugares, Chipre, Tiro, Ptolemaida e Cesareia, nessa cidade eles ficaram na casa de Filipe, um dos sete homens escolhidos em Jerusalém. Enquanto estavam lá, chegou um homem chamado Ágabo, ele pegou o cinto de Paulo e disse: "O dono desse cinto será amarrado da cabeças aos pés em Jerusalém." então todos falaram para Paulo não seguir viagem, mas ele sabia que Deus tinha planos para sua vida e essa era sua vontade. Passados alguns dias, eles se despediram de Filipe e seguiram para Jerusalém.

A chegada de Paulo em Jerusalém

Atos 21: 17 a 40 e 22: 1 a 29

Quando Paulo e seus companheiros chegaram em Jerusalém, foram recebidos por seus amigos com alegria, e logo em seguida foram se encontrar com Tiago no templo, então Paulo contou sobre todas as coisas que tinham vivido e todos os milagres que Deus tinha feito. Ele ficou por lá durante sete dias, porém algumas pessoas que não gostavam dele começaram a fazer uma confusão, e acusá-lo de ensinamentos contra o povo e contra a lei, então pegaram Paulo e o arrastaram para fora do templo. Para acalmar o povo, o comandante das tropas romanas enviou soldados para conter a multidão que havia se juntado. Porém ao chegarem lá, o comandante para conter a confusão mandou prendê-lo e ordenou que fosse amarrado, mas quando soube que Paulo era romano, ficou com medo de castigá-lo, e foi entender melhor o que ele tinha feito para causar tanto tumulto.

DEZEMBRO 23

Paulo diante do Conselho Superior

Atos 22: 30 e 23: 1 a 35

O comandante se reuniu com o Conselho Superior e pediu para trazerem Paulo, para que pudessem esclarecer as coisas. Apesar de não encontrarem nada de errado com ele, o povo estava tão agitado que o mandaram de volta para a prisão. Alguns homens começaram a bolar um plano para matá-lo, mas o sobrinho de Paulo ouviu tudo e foi contar para o comandante. Ao saber da armadilha, o comandante decidiu transferir Paulo para Cesareia, acompanhado de muitos soldados, ao chegar lá foi recebido pelo governador Félix.

shutterstock.com/asklib

DEZEMBRO 24

A defesa de Paulo

Atos 24: 10 a 27; 25: 1 a 27 e 26: 1 a 32

freepik.com

Muitas pessoas acusavam Paulo de contar mentiras, de fazer mal e de ir contra as leis, porém Paulo sempre se defendia através da palavra de Deus, querendo mostrar que ele não fazia mal algum, pelo contrário, queria levar salvação a quem precisasse. Paulo teve que se defender perante o governador Félix, e depois de dois anos, teve que se defender perante a Festo, sucessor de Félix. Mais tarde Paulo também teve que se defender perante o rei Agripa, esse reconheceu que Paulo realmente não havia feito nada errado, mas ao invés de o soltar, mandou ele e outros presos para Roma.

DEZEMBRO 25

Paulo vai para Roma

Atos 27: 1 a 12

Queriam levar Paulo para Roma para que fosse julgado por Júlio Cesar. Ele e os outros presos foram levados de navio, mas no caminho os ventos começaram a ficar mais fortes, era época de inverno e as tempestades poderiam ficar muito violentas. Então Paulo tentou avisar que a viagem poderia ser perigosa e era melhor que eles voltassem, mas o oficial do navio não quis ouvir e seguiu viagem.

shutterstock.com/Natali Snailcat

DEZEMBRO 26

A tempestade

Atos 27: 13 a 44

Assim como Paulo havia avisado, a tempestade começou, os ventos e a chuva eram muito fortes, e duraram vários dias. Deus falou para Paulo que o navio seria destruído, mas todos seriam salvos. Mais tarde o navio ficou preso em um banco de areia, mas todos conseguiram chegar até a praia, alguns nadando e outros através de tábuas de madeira, logo em seguida uma forte onda destruiu todo o navio, mas eles já estavam em segurança na ilha.

DEZEMBRO 27

Paulo na Ilha de Malta

Atos 28: 1 a 15

Os habitantes da ilha receberam muito bem os viajantes, fizeram até uma fogueira para diminuir o frio, porém quando Paulo foi pegar gravetos para tentar manter a chama acessa, uma cobra atacou sua mão, todos acharam que ele morreria, porque aquela cobra era muito venenosa, mas ele conseguiu jogá-la no fogo, depois disso passaram a achar que ele era um deus. O responsável da ilha se chamava Públio, e ele os convidou para ficarem em sua casa, seu pai estava muito doente, então Paulo orou e ele foi curado, outros doentes também foram levados até ele, e todos também foram curados. Após isso, Paulo e os viajantes seguiram viagem para Roma.

DEZEMBRO 28

A pregação de Paulo em Roma

Atos 28: 17 a 31

shutterstock.com/Vectomart

Quando chegaram a Roma, os presos foram entregues as autoridades, mas permitiram que Paulo pudesse alugar uma casa. Ele podia morar nela, porém um guarda sempre ficava vigiando para que ele não fugisse. Lá ele ficou por dois anos, e muitos iam a sua casa para ouvir da palavra de Deus. Paulo também escreveu diversas cartas as igrejas por onde tinha passado: aos tessalonicenses, corintios, romanos, gálatas, efésios, filipenses, colossenses, além de Timóteo, Tito e Filemom, que foram amigos que conheceu durante suas viagens missionárias.

DEZEMBRO 29

A visão do Cristo Glorificado

Apocalipse 1: 9 a 10 e 12 a 18

João um dos doze discípulos de Jesus ficou exilado na ilha de Patmos no tempo de perseguições as igrejas, um dia o Espírito de Deus o dominou e ele ouviu uma voz forte como o som de uma trombeta: "Escreva em um livro tudo o que você vê e envie a sete igrejas.". Quando ele se virou para ver quem falava, viu sete candelabros de ouro e entre eles algo que parecia ser um homem, vestindo uma roupa que chegava até os pés e uma faixa de ouro em volta de seu peito. Seus cabelos eram brancos como a lã, tão brancos como a neve, e seus olhos eram como chamas de fogo, seus pés brilhavam como bronze, sua voz parecia com o som de muitas águas, tinha em sua mão sete estrelas e seu rosto brilhava como o sol do meio dia. Quando João o viu, caiu sobre seus pés, mas ele disse: "Não tenha medo, Eu sou o primeiro e o último. Eu sou aquele que vive, estive morto mas agora vivo para todo sempre.". Aquele homem que falava era Jesus, e ele pediu a Paulo para que escrevesse tudo o que viu e o que ainda iria ver para que tudo pudesse estar na bíblia, para que todas as pessoas de todas gerações pudessem ler o que Deus fez.

DEZEMBRO 30

O novo céu e a nova terra

Apocalipse 21: 1 a 4

Alguns dias depois, João teve a alegria de poder ver os novos céus e a nova terra, pois o primeiro céu e a primeira terra desapareceram, e o mar havia sumido.

Então viu a Cidade Santa, a nova Jerusalém, que descia do céu. Ela vinha de Deus, enfeitada, preparada, vestida como uma noiva que vai se encontrar com o noivo. Depois João ouviu uma voz forte que vinha do trono e dizia: "Agora a casa de Deus está entre os homens, e Deus morará nela, eles serão o seu povo, e o próprio Deus estará com eles e será o Deus deles. Enxugará dos olhos dos homens todas as lágrimas, não haverá mais morte, nem tristeza, nem choro, nem dor. Pois as coisas velhas se passaram, e faço nova todas as coisas. Tudo isso será herdado por aqueles que me aceitaram como Senhor e Salvador de suas vidas, meus filhos.". Naquele momento Deus prometia a João e todos os seres humanos da terra, o presente da vida eterna ao seu lado, para aqueles que o aceitassem como Senhor e Salvador.

DEZEMBRO 31

shutterstock.com/askib

CIP-BRASIL. CATALOGAÇÃO NA PUBLICAÇÃO
SINDICATO NACIONAL DOS EDITORES DE LIVROS, RJ

H914t

    Hüne, Beatriz
      365 histórias bíblicas / Beatriz Hüne ; organização Jarbas Cristiano Cerino. - 1. ed. - Cotia, SP : Pé da Letra, 2017.
      368 p. : il. ; 22 cm.

      Inclui folha de rosto
      ISBN 9788595200623

      1. Poesia infantojuvenil brasileira. I. Cerino, Jarbas Cristiano. II. Título : Trezentos e sessenta e cinco histórias bíblicas.

17-45858
                            CDD: 028.5
                            CDU: 087.5

03/11/2017   07/11/2017

Textos baseados na Bíblia NVI

www.editorapedaletra.com.br